QMW Library
23 0953703 9

D0586369

EL NARRADOR
EN LA
NOVELA DEL SIGLO XIX

PERSILES - 91

DEL MISMO AUTOR,
EN TAURUS EDICIONES

Agnes y Germán Gullón, *Teoría de la novela*
(Col. «Persiles», n.º 75)

GERMAN GULLON

EL NARRADOR EN LA NOVELA DEL SIGLO XIX

taurus

Cubierta de MANUEL RUIZ ANGELES

TAURUS EDICIONES, S. A.
Velázquez, 76, 4.° - MADRID-1
I S B N 84-306-2091-5
Depósito Legal: M.- 23328-1976
PRINTED IN SPAIN

A MI PADRE

INDICE

NOTA PRELIMINAR

La pretensión de escribir un libro sobre el narrador en la novela del siglo XIX puede parecer y acaso es desmesurada. El pasado siglo, incluso en España, es el de la ficción, y para que las páginas siguientes no resultaran abrumadoramente largas y detallistas, me pareció necesario limitar mi estudio a las obras que, en mi opinión, dieron carácter a una época, y cuya calidad artística justifica la atención que siguen recibiendo. Si no están todos los que son, al menos confío en que son todos los que están.

En la «Introducción» he intentado hacer una breve exposición de la evolución de la teoría de la novela en la crítica norteamericana. El que me limitara a ese país no supone ni ignorancia ni desdén hacia la crítica de otros; creo, simplemente, que fue en América donde primero se planteó con ojos modernos la problemática tratada en este libro. En los capítulos siguientes examino a la luz de esa crítica las técnicas narrativas y su importancia en la elaboración artística de la ficción decimonónica española. Las notas atestiguan, creo, el material manejado e indican fuentes a quien desee profundizar en el conocimiento de los temas aquí explorados.

Un trabajo como éste no podría haberse escrito sin el esfuerzo previo de cuantos me precedieron en el estudio teórico del género. Mi deuda hacia ellos la reconocerá el lector en las citas y en las notas a pie de página. Debo agradecer especialmente la ayuda que con sus consejos y orientaciones me prestaron los profesores Rodolfo Cardona, Alexander A. Parker, Douglass Rogers y Pablo Beltrán de Heredia. Sin la tranquilidad y cariño de mi esposa, Agnes, nunca se hubieran podido escribir estas páginas.

G. G.

INTRODUCCION

El concepto crítico de «punto de vista»

La cuestión del punto de vista, observó Ezra Pound, no es nueva, aunque la abundancia de estudios recientes sobre ella la haga aparecer como tal. «En algún sentido es tan antigua como la literatura misma» [1], pues pertenece a la clase de problemas que los autores debían plantearse y resolver antes de escribir, y así lo han hecho desde Homero hasta el escritor más moderno. Gerald Warner Brace, en un pequeño libro en el que discute el proceso creativo en la ficción, enuncia esos problemas elementales en forma de interrogantes: «¿quién ve la acción?, ¿a quién la cuenta?, ¿qué mente se refleja en lo contado?, ¿dónde se supone colocado al lector?» [2], etc. Pero si las preguntas son de todos los tiempos, y pertenecen a la raíz de la creación artística escrita, su utilización en la crítica es relativamente reciente.

Ezra Pound hizo el siguiente comentario iluminador, del que partiremos para nuestro acercamiento al tema: «Yo he [...] encontrado en Homero al espectador imaginario, al cual todavía en 1918 creía propiedad personal de Henry James» [3]. Con éste se inaugura en la crítica de lengua inglesa, una larga serie de estudios sobre el narrador, que culmina en *The Rhetoric of Fiction* (1961), de Wayne C. Booth, y está siendo continuada en libros como *The Teller in The Tale* (1967), de Louis D. Rubin, discípulo del profesor de Chicago.

Henry James, Percy Lubbock, Norman Friedman y Wayne Booth son hitos en la crítica americana de la novela. Teorizan partiendo

---

[1] William K. Wimsatt, Jr., y Cleanth Brooks, *Literary Criticism. A Short History,* New York, Vintage Books, 1967, p. 684. Todas las citas de este capítulo han sido traducidas por mí.

[2] Gerald Warner Brace, *The Stuff of Fiction,* New York, W. W. Norton and Company, Inc., 1972, p. 86.

[3] *The ABC of Reading,* New Directions, Norfolk, Conn., 1951, p. 43.

del contacto directo con el texto, de la lectura atenta de las obras («close reading»), mientras que la crítica alemana —Friedrich Spielhagen, Kate Friedemann, Oscar Walzel...— se preocupa ante todo de elaborar una «poética» de la novela, para, una vez establecida, ir desde ella a los textos; es decir, que su acercamiento a la obra, como señala Françoise Van Rossum-Guyon, es eminentemente abstracto, filosófico [4], muy en la línea de Dilthey.

Henry James fue el primero en concebir la «novela como una forma especial de arte» [5], definiéndola como algo orgánico, «*all one and continuous, like any other organism*» [6]. Esta concepción lleva «implícito un corolario, el arte impersonal» [7]. Si la novela es un ser autónomo con vida propia, debe explicarse por sí misma, sin necesidad de intromisiones, sin que la voz del creador aparezca a cada vuelta de hoja, delatando su presencia y a la vez negando independencia a la creación. La obra de arte tiene su propia realidad, que ha de ser respetada. Es obligado recordar aquí a Flaubert, maestro de James, y tan admirado por éste: «novelista de novelistas», le llamó en un momento de fervor. El autor de *Madame Bovary* ya había dicho, en carta a Louise Colet: «en el libro que escribo [...] estoy tratando de ser impecable y de seguir una estricta línea geométrica: ni lirismo, ni comentarios; la personalidad del autor, ausente» [8]. Para que la novela sea autosuficiente el autor debe mantenerse al margen, utilizando procedimientos que le permitan eliminar, o por lo menos disimular su presencia. James encontró una solución ingeniosa: escribir partiendo de un «centro o foco de conciencia» situado en un personaje, en el cerebro de un personaje, a través del cual accedería el lector a los hechos. El centro de conciencia, así localizado e identificado, se interpone entre autor y lector, y los distancia. Los sucesos serán conocidos a través de esa conciencia, a través de una mirada peculiar; el autor se esforzará en que todo aparezca en la narración de ese modo, sin interferirse en lo narrado: de no ocurrir así, la «*intensity of illusion*» [9], la de que en la novela se ha

---

[4] FRANÇOISE VAN ROSSUM-GUYON, «Point de vue ou perspective narrative», *Poétique,* n.º 1 (1970), p. 485.

[5] WILLIAM K. WIMSATT, JR., y CLEANTH BROOKS, *op. cit.,* p. 681.

[6] HENRY JAMES, *The Art of Fiction and Other Essays,* Ed. Morris Roberts, New York, 1948, p. 13.

[7] WILLIAM K. WIMSATT, JR., y CLEANTH BROOKS, *op. cit.,* p. 683.

[8] Cito por la antología de GEORGE J. BECKER, *Documents of Modern Literary Realism,* Princeton, Princeton University Press, 1967, p. 90.

[9] Para HENRY JAMES *(The Art of the Novel,* New York, Charles Scribner's Sons, 1974, p. 318), la «intensity» es «the grace to which the enlightened story teller will at any time, for his interest, sacrifice if need be all other graces whatever». Y cualquiera que sea esa intensidad, concluye BOOTH en *The Rhetoric of Fiction* (Chicago and London, Univ. of Chicago Press, 1961, p. 44) debe ser «intensity of illusion that genuine life has been presented».

presentado una realidad genuina, desaparecerá; la intromisión del autor arruinará la obra de arte. Consecuencia lógica de este modo de concebir la novela es el empleo de una técnica personal de presentación, que prefiere el «*showing*» al «*telling*», la exposición «dramática» a la puramente narrativa. La preferencia de lo «mostrado» por lo «contado» ha dejado huella en la crítica posterior, de Lubbock a Friedman [10].

Percy Lubbock, al escribir *The Craft of Fiction* (1921), encontró el camino un tanto allanado por *The Method of Henry James* (1918), de Joseph Warren Beach, que organizó las ideas del novelista y elaboró con ellas una teoría. Lubbock aplica esas ideas a obras de varios autores —Tolstoy, Flaubert, Balzac y otros— estableciendo una serie de principios sobre cuya filiación no puede caber duda: «El arte de la ficción, dice, no comienza hasta que el novelista piensa su historia como una materia que debe ser mostrada, exhibida de tal manera que se contará por sí misma»; y continúa: «En la novela no puede invocarse a ninguna autoridad situada fuera del libro [...]; tiene que *parecer* verdadero, y eso es todo. Y no se le hará parecer verdadero simplemente diciendo que lo es» [11]. No menos importante es este otro postulado: «La única ley que obliga al autor a lo largo de toda la obra, cualquiera que sea la dirección que siga, es la necesidad de atenerse con completa coherencia a un plan, sin desviarse de los principios que haya adoptado» [12]. Estas reglas, entre otras, le llevaron a preferir la escena *(scene)* al panorama, pues la primera habla por sí misma, mientras el segundo ha de ser resumido y contado por el narrador. Lo importante, a su juicio, es transmitir la historia sin intromisión autorial.

La idea de que lo «mostrado» es más artístico que lo «contado» pasó de James a Lubbock. Y la exigencia de que el autor desapareciera de la novela se convirtió en dogma para críticos y novelistas. Pocas fueron las voces que protestaron contra la desvinculación de la novela y el autor, pero una de ellas fue muy destacada, la de E. M. Forster.

Mark Schorer, en su artículo «Technique as Discovery» (1948), dio otro paso en la atención a los valores formales; Schorer fue más allá que Lubbock: no sólo considera que la perspectiva narrativa sirve para dramatizar la presentación, sino que, a su juicio, la técnica lo es todo. Lo artístico es la forma; el contenido pertenece a la

---

[10] El lector notará aquí la semejanza con las ideas de ORTEGA (y de otros), que expondremos con más detalle en otros capítulos, en el de *Tormento*, por ejemplo.

[11] PERCY LUBBOCK, *The Craft of Fiction*, New York, The Viking Press, 1964, p. 62.

[12] *Ibid.*, pp. 71-73.

experiencia, y el crítico debe ocuparse de la forma, pues es ella la que convierte la escritura en obra de arte [13].

El predominio de la forma sobre el contenido se convertirá en un lugar común crítico. Los formalistas rusos, con Sklovski a la cabeza, habían repudiado mucho antes la distinción forma-contenido, dando a la primera nuevo sentido: «No es ya envoltura, sino un conjunto dinámico y concreto que tiene un contenido en sí mismo, fuera de toda correlación» [14].

En 1955 publicó Norman Friedman el artículo titulado «Point of View in Fiction: The Development of a Critical Concept» [15], que si no aporta realmente nuevas ideas a la discusión crítica del punto de vista, ordena todo lo dicho hasta entonces sobre la materia. Con cuatro preguntas abre Friedman su exposición: 1) ¿Quién habla al lector?; 2) ¿Desde qué posición, respecto a la historia que cuenta?; 3) ¿Qué vías de información utiliza el narrador para transmitir la historia al lector?, y 4) ¿A qué distancia coloca el narrador al lector?

A continuación, estudia los siguientes tipos de narración:

1. *Omnisciencia del autor como editor.* La perspectiva del narrador no tiene límites, lo que la hace difícil de controlar. Característica esencial de este tipo de narración es la presencia del autor, manifiesta en constantes intrusiones que le llevan a hacer generalizaciones sobre lo divino y lo humano, sean o no pertinentes a la historia.

2. *Omnisciencia neutral.* El autor no interviene directamente, pues cuenta en tercera persona. Aun así no se logra una presentación dramática, porque los sucesos siguen presentándose tal como los ve el creador, y no como los ven quienes los viven, los personajes.

3. *El yo-testigo.* Se trata de la narración en primera persona. El que cuenta es testigo de la acción; la observa desde dentro o desde fuera, pero el papel que desempeña en ella carece de importancia.

---

[13] MARK SCHORER, «Technique as Discovery», reimpreso del *Hudson Review,* I, en *The Theory of the Novel,* antología editada por Philip Stevick, New York, The Free Press, 1967, p. 66: «Modern criticism has shown us that to speak of content as such is not to speak of art at all, but of experience; and that it is only when we speak of the *achieved* content, the form, the work of art as a work of art, that we speak as critics. The difference between content, or experience, and achieved content, or art, is technique.»

[14] SKLOVSKI, citado por BORIS EIKENBAUM, «La teoría del *método formal*», publicado en *Formalismo y Vanguardia* (Madrid, Comunicación, 1970), p. 41. Corrijo en parte la traducción española, valiéndome de la inglesa, aparecida en *Russian Formalist Criticism* (Lincoln, Univ. of Nebraska Press, 1965), y de la francesa de TZVETAN TODOROV, en *Théorie de la littérature* (Editions du Seuil, París, 1965).

[15] *PMLA,* LXX (1955), 1160-1184.

4. *El yo-protagonista.* Quien narra es, a la vez, el personaje principal. Sólo puede contar lo que ve, siente o piensa, o lo que le cuentan.

5. *Omnisciencia multiselectiva.* La historia es contada según es vivida por los personajes; tal como se refleja en sus espíritus. Esta forma de omnisciencia difiere de la normal en que permite la presentación dramática. El autor no interviene directamente para resumir o explicar una acción después que ésta ha tenido lugar, sino que expresa «sentimientos, pensamientos y percepciones» conforme van aconteciendo en el espacio mental.

6. *Omnisciencia selectiva.* En este supuesto, el lector depende de un centro de conciencia única: el cerebro de uno de los personajes. Tal limitación le impide formarse una idea de conjunto basada en la diversidad de perspectivas que en otras ocasiones le son accesibles. Aquí está situado en un centro fijo.

7. *El modo dramático.* No hay ni narrador ni autor. El lector no tiene más información que la transmitida por los personajes; el ambiente y las referencias a los personajes se ofrecen, como en las obras de teatro, en las acotaciones.

8. *La cámara.* Técnica semejante a la empleada en el cinematógrafo. Transmite fragmentos de vida, fotográfica y objetivamente, sin seleccionar ni ordenar.

Excelente labor recapituladora y ordenadora. No dijo Friedman cuál de las formas narrativas era la mejor, pues con buen sentido sabía que, según fuera el fin que se propusiese, el novelista utilizaría una u otra forma, la más adecuada para realizarlo y para dar «la ilusión de realidad» que James había pretendido en sus obras. Sí indicó que cuanto menos contase y más dramatizase mejor sería el resultado.

The Rhetoric of Fiction, de Booth, está en parte dedicado al tema de que trato, pero no para continuarlo o desarrollarlo, sino para negar su validez como instrumento crítico y como elemento útil para la construcción novelesca. El cambio es casi copernicano: el autor, cuya presencia en la obra se consideraba embarazosa, reaparece y vuelve a instalarse en la novela. El autor de carne y hueso, el hombre que escribe, sigue ausente, pero queda su huella, la proyección que el creador despliega en la creación. A esta huella o proyección la denomina Booth autor implícito [16], aportando a la crítica una noción nueva. A este «autor implícito», por impersonal que

---

[16] WAYNE C. BOOTH, *op. cit.*, p. 444.

sea, siempre será posible detectarle en el estilo, o en la forma de ordenar la materia, y de otras muchas maneras [17].

Según Booth, el escritor utiliza su técnica, lo que él llama «retórica», no para ocultarse, sino como medio de imponer el mundo ficticio al lector, y así transmitirle determinados valores [18]. El autor se preocupa, sobre todo, del efecto que esos valores han de producir en quien lee. Y por pensar así, Booth, cuando clasifica los tipos de narración, divide a los narradores en dos grandes clases: 1) Dignos de confianza *(«reliable»)*, y 2) Indignos de confianza *(«unreliable»)*.

Al tratar del punto de vista deja, pues, de subrayar, al revés que sus predecesores, los problemas relativos a la presentación y a la dramatización, y plantea otro nuevo: el de si el lector puede dar crédito a lo que se le dice. Le importa, al parecer, más la credibilidad del narrador que la manera como transmite su información, con lo cual creo que pasa de lo técnico a lo moral [19].

Françoise Van Rossum-Guyon opina que Wayne C. Booth, al hacer hincapié en el efecto que el autor intenta, subestimó la cuestión de la técnica. Acabo de indicar que lo hizo así en beneficio de otras cosas; Van Rossum-Guyon piensa que lo que le importa a Booth es analizar «las voces» del autor [20], que de todas maneras se dejarán oír, sea cual fuere el método narrativo que se adopte.

Autor, narrador, lector

Cuando alguien se dispone a escribir una novela no es el menor de sus problemas la elección del modo en que ha de contar. Lo que se cuenta y quien cuenta presuponen una audiencia; se narra para alguien: el lector. Para la creación literaria, como para la comunicación verbal, es válido el esquema de Jakobson:

Emisor → Mensaje → Destinatario [21].

---

[17] Francisco Ayala acepta la idea de Booth llamando «ficcionalizado» al que éste llamó «implícito»: *Reflexiones sobre la estructura narrativa,* Madrid, Taurus, 1970, p. 22.

[18] Wayne C. Booth, «Distance and Point of View», artículo que cito por *The Theory of the Novel, ed. cit.,* p. 100. «I shall call a narrator *reliable* when he speaks for or acts in accordance with the norms of the work (which is to say the implied author's norms), *unreliable* when he does not.»

[19] Una buena crítica de la tesis de Booth en John Ross Baker, «From Imitation to Rhetoric: The Chicago Critics, Wayne C. Booth, and *Tom Jones*» *(Novel,* VI [1973]).

[20] Françoise Van Rossum-Guyon, *art. cit.,* p. 478.

[21] Roman Jakobson, *Essais de linguistique générale,* París, Editions de Minuit, 1963, p. 214. José Ortega y Gasset menciona también el hecho en *La rebelión de las masas,* cito por la edición Austral, Madrid, 1958, p. 10: «Se olvida demasiado que todo auténtico decir no sólo dice algo, sino que lo

En toda novela funciona con sólo cambiar la nominación:

Autor → Narración → Lector.

Lo contado incorpora al lector y al autor; el primero, por ser a quien se destina lo que se escribe, sin cuya cooperación no tiene virtualidad; el segundo, por ser su creador. Al hablar del autor, casi siempre nos referimos al ser histórico que tiene un nombre, una existencia, una biografía... Sin embargo, en la lectura se advierte la presencia de una figura distinta de ese hombre de carne y hueso. A esa figura no la concebimos en términos biográficos, porque el autor al escribir se ha desdoblado, según dice Francisco Ayala, en «un autor que se incluye dentro del marco de su obra, y el hombre contingente que se ha quedado fuera para desintegrarse en el incesante fluir del tiempo» [22]. Uno es el hombre que vive y muere, y otro el que queda en la obra; no confundamos a aquél con sus máscaras o emisarios [23].

Así, pues, conviene establecer esta distinción: a) *Autor real,* el hombre que ha vivido o vive en el mundo, y b) *Autor implícito o ficcionalizado,* a quien no le conocemos por referencias históricas o en el trato, sino a través de la lectura. Cada autor real se desdobla en tantos autores implícitos como novelas escribe, y en cada una tiene un ser distinto; su figura varía de acuerdo con el propósito, y en cada caso adopta una máscara diferente.

Al receptor del mensaje, para quien se ordena y construye la narración, le llamamos lector. En principio, igual que el autor, es un ser histórico, pero cuando acepta su papel y comienza a leer se desdobla en dos: a) *Lector real,* un hombre, nosotros, los que con nuestras alegrías y penas nos paseamos por el «valle de lágrimas», el ser con una biografía, y b) *Lector implícito o ficcionalizado,* que adopta el papel que estructuralmente tiene asignado. Somos lo que el autor quiere que seamos: el «lector ideal»; si no funcionamos como tal, la novela parecerá ininteligible o inadecuada, y tal vez se nos caerá de las manos.

Dos ejemplos extremos pueden aclarar la cuestión. Si el lector «culto» coge una novela de las llamadas «rosa» se sentirá incómodo. La ñoñería y ramplonería le apartarán de ella, pues se supone que el lector a quien apelan tiene otra sensibilidad y otra escala de valores estéticos. Del mismo modo, al lector no preparado le resultará muy difícil leer el *Ulysses,* de Joyce, pues para entenderlo y disfrutarlo se

---

dice alguien a alguien. En todo decir hay un emisor y un receptor, los cuales no son indiferentes al significado de las palabras.»

[22] Francisco Ayala, *op. cit.,* p. 31.

[23] Uno es «Borges», como dice el escritor argentino, y otro soy «yo» (*Antología personal,* 1968).

necesitan ciertos conocimientos que están más allá de la semicultura del hombre medio [24]. El lector tiene, pues, que ajustarse a un tipo si quiere descifrar correctamente el mensaje que se le ofrece. José María de Pereda o Pedro Antonio de Alarcón son casos extremos en la determinación del tipo de lector que desean.

Siendo la novela un mundo de ficción, con sustantividad propia, si el encargado de transmitírselo al lector fuera el autor «real», ese mundo soportaría una presencia extraña, la del autor, perteneciente a otro; por ello, para no romper la autonomía que exige la obra de arte, el autor recurre a la figura interpuesta que llamamos narrador. La presencia del autor implícito es quizá inevitable, pues la creación de alguna manera refleja al creador. En ciertos casos, como los de la narración en tercera persona, puede ser difícil diferenciar al autor implícito del narrador, mas siempre habrá rasgos estilísticos o de construcción que permitan separarlos. Pondré un ejemplo que aclare la cuestión. Cuando contamos a un niño un cuento, que tal vez inventamos sobre la marcha, la voz, el tono y lo contado tienen que amoldarse a la mentalidad de quien escucha. Contamos poniéndonos una máscara. Trasladando esta situación a la novela se observa que a quien escucha, al lector incorporado al relato, se le ha de hablar de manera inteligible y en forma que le permita entender lo contado, darle el sentido que tiene y hasta identificarse (por lo menos estéticamente) con ello. Narrador y autor acaso den la impresión de ser lo mismo, pero no lo son; el primero es vehículo formal del segundo. El narrador es, como dice Kayser: «Un personaje de ficción en quien el autor se ha metamorfoseado» [25].

Ahora ya podemos añadir un elemento nuevo al esquema anterior: el emisor del «mensaje» no es el autor, sino el narrador, de modo que las relaciones se establecen así:

autor real → autor implícito lector real
↓ ↓ ↓
narrador → lo contado ← lector

En este esquema quedan separados el autor y el lector de carne y hueso de sus desdoblamientos en la escritura y en la lectura, de los entes ficcionalizados. Además, se incorpora al cuadro esa criatura independiente, el narrador, metamorfosis del autor. El autor implícito toma la palabra con relativa frecuencia y se convierte en narrador.

---

[24] C. S. Lewis, en *An Experiment in Criticism* (Cambridge, Cambridge Univ. Press, 1965), analiza estos tipos de lector.

[25] Wolfgang Kayser, «Qui raconte le roman?», *Poétique*, n.º 1 (1970), p. 504.

Problemática fundamental del narrador

El narrador es ante todo un punto de vista, hecho más visible en la novela en primera persona, donde se depende de lo que desde esa perspectiva es posible y conveniente hacer. Francisco Rico lo ha mostrado al estudiar el *Lazarillo,* explicando la rigurosa trabazón entre el «caso» de que allí se trata y la «selección y organización de los materiales autobiográficos» [26]. Los problemas de perspectiva son tanto más importantes cuanto que uno de los signos de la modernidad [27] es aceptar la relatividad de los valores. Entendemos la novela en y desde el enfoque del narrador, y su realidad (la creada en el texto) es la que nosotros, en función de lector, reconocemos como *la* realidad. Ella es la única que en la novela existe y es una creación, y hasta una imposición del autor, que al situar al narrador en una perspectiva decidió el modo en que la realidad se constituiría.

Hecho esto, el autor cuidará de no inmiscuirse y de quedar al margen de lo que ocurra, pues si no lo hiciese acabaría suplantando al narrador y destruyendo la coherencia que la unidad del punto de vista da a la novela, y poniendo en peligro su estructura. El autor tiene absoluta libertad para escoger, pero una vez tomada la decisión establece como si dijéramos un pacto secreto con el esquema narrativo adoptado y con la perspectiva desde la cual se cuenta lo que en ese esquema debe ser contado.

La forma en primera persona es, sin duda, la más antigua; aparece en Homero, pasa por Apuleyo y domina nuestra novela picaresca. Siempre se la ha considerado como la más apropiada para contar aventuras, pero su valor retórico estriba sobre todo en la facilidad con que establece una relación casi amistosa o familiar entre narrador y lector, lo cual asegura que éste confiará en lo dicho por aquél, y lo dará por bueno. Su utilización ofrece obvias ventajas: el personaje podrá hablar con verosimilitud de sus problemas íntimos, oscureciendo o velando la mano del autor, dando la impresión de autosuficiencia, de autocreación; por la misma razón, y ésta es la contrapartida desventajosa, lo que diga de otros o de sucesos en que no ha participado directamente, no pasará de ser, o bien opiniones, o meras inferencias.

Claro está que sería ingenuidad excesiva creer que el narrador que habla de sí quiere decir siempre la verdad, aun si sólo pensamos en *su* verdad. Más natural y frecuente será observar que los silencios y los fallos informativos son parte de la narración, llegándose al

---

[26] Francisco Rico, *La novela picaresca y el punto de vista,* Barcelona, Seix-Barral, 1970, p. 36.

[27] *Ibid.,* p. 55.

caso archiconocido de *The Murder of Roger Ackroyd,* de Agata Christie, en que nada parece ocultarse y no se oculta nada, sino el dato de que el relator de los sucesos es, a la vez, el asesino. Ejemplo extremo, pero demostrativo de cómo la retirada de información puede afectar a lo más importante [28].

La utilización de la segunda persona apunta a la dualidad del ser, a su desdoblamiento en yos diversos y a menudo conflictivos que mediante este recurso son vistos por el lector como representación del antagonismo íntimo, larvado o declarado que caracteriza a ciertos hombres, tal vez a todos. Aunque en este siglo, por consecuencia de la difusión de las teorías de Freud, los escritores han tomado conciencia de la problemática, ya mucho antes, al menos intuitivamente, poetas y novelistas advertían el fenómeno y lo reflejaban en sus obras. El diálogo de Guzmán consigo mismo es precedente ya alguna vez alegado [29]. Francisco Rico piensa que en *Guzmán de Alfarache* el *tú* sirve para «plasmar con economía de medios la escisión de una conciencia, atormentada por la necesidad de optar entre las llamadas del instinto y las nociones de la gracia» [30].

No ocurre otra cosa, digamos, en *La modificación,* de Michel Butor, donde el *tú* refleja el debate interior del personaje que durante un viaje de París a Roma, emprendido con objeto de unirse para siempre a su amante, decide no dar este paso y seguir con su mujer. El conflicto, como ha visto bien Bruce Morrissette [31], es presentado con singular plasticidad por cómo el «vous» destaca el enfrentamiento del hombre consigo mismo; en lugar de asistir a un monólogo presenciamos lo que Unamuno llamaba monodiálogo, un ir y venir de deseos y temores en cuyos giros se va tejiendo la trama de un tipo de novela necesariamente interiorizado.

Claro está que, además, la novela en segunda persona permite al autor presentarnos al personaje en plena especulación mental y el lector asiste a ella como quien presencia una representación dramática, siguiendo desde la lectura el acto problemático de esa especulación.

El uso de la tercera persona suele implicar la omnisciencia. No siempre ocurre así, según iremos viendo en capítulos sucesivos. La omnisciencia, como observó Booth, es una convención, y su valor es fundamentalmente retórico: en cuanto sea útil y contribuya el engaño

---

28 Sobre el yo narrativo véase el artículo de BRUCE MORRISSETTE, «The Alienated 'I' in Fiction», *The Southern Review,* vol. 10, n.º 1 (Winter, 1974), pp. 15 y siguientes.

29 FRANCISCO YNDURÁIN, «La novela desde la segunda persona. Análisis estructural», en AGNES y GERMÁN GULLÓN, *Teoría de la novela,* Madrid, Taurus, 1974, pp. 216-218.

30 FRANCISCO RICO, *op. cit.,* p. 76.

31 BRUCE MORRISSETTE, «Narrative you in Contemporary Literature», *Comparative Literary Studies,* vol. II, n.º 1 (1955).

a los ojos, será aceptable. Claro está que funciona como recurso dinamizador, cuyo empleo acelera y economiza el discurso. Una vez establecida, el narrador puede entregarse a la descripción y análisis de movimientos espirituales y de estados de ánimo que de otro modo le serían inaccesibles, ayudándose de técnicas como el discurso indirecto libre que le permitirán comer su pastel y guardarlo, e incursionando tal vez en los campos del soliloquio (no del monólogo interior y de la corriente de conciencia, en general, reservados a la narración en primera persona) en que se pretende recoger las palabras y las actitudes del personaje, a veces con una cierta dramatización.

No es raro que el narrador utilice la tercera persona para dar la sensación de que la novela se cuenta sola [32]. La famosa «impasibilidad» de Flaubert tendía, entre otras cosas, a reforzar la autonomía de la novela, pero a la vez, por la cuidadosa selección de los materiales y por la limitación de lo narrado a lo visible desde *una* perspectiva, daba al lector la impresión de que cuanto sucedía podía haber sido visto por él. Percy Lubbock lo señaló en la obra antes citada [33], advirtiendo que en otras ocasiones el autor se vería obligado a intervenir, y precisamente para decir lo que sin su intervención no llegaríamos a saber.

Sin ir más allá en la exposición de una problemática vasta y compleja, paso a resumir en el menor espacio posible algo de lo que atañe a la situación del narrador en la novela. Obviamente puede ser exterior o interior (términos no del todo precisos, pero que servirán para entendernos) y hasta cabría denominarla fluctuante cuando quien narra está alternativamente fuera y dentro de lo narrado: o el narrador es un pequeño Dios que desde arriba contempla a los personajes sabiendo de antemano lo que ha de hacer, lo que va a ocurrirles, o, por el contrario, está en la novela con una u otra máscara, o sin máscara. Hay un subgrupo de narradores, «exteriores» sí, pero más bien marginales que olímpicos, que no ocultarán sus limitaciones y sus insuficiencias. Todo esto es importante, pues de la situación del narrador dependerá el tipo de narración que se escriba, y Valle Inclán expresó con característica precisión que según se viera a los personajes desde abajo, a su nivel, o desde arriba, se lograría una obra distinta; distinta en clase o subgénero. La situación del narrador determina la distancia y la perspectiva, que imponen el tono. El tono, irónico, elocuente, sentimental, etc., hace a la novela según es, dando al tema y a la fábula carácter diferente al que pudiera ofrecer si aquél hubiera sido otro. En este sentido es posible sugerir que de la situación del narrador depende la novela. En la

---

[32] Sobre este tema véase LEON SURMELIAN, *Techniques of Fiction Writing*, New York, Doubleday, 1968. Libro desordenado, pero útil.

[33] *The Craft of Fiction*, p. 65.

del siglo XIX, el narrador que está fuera ve a los personajes desde lo alto, lo que no quiere decir (y ya lo veremos en Galdós y en Clarín) que no sienta simpatía por ellos y no se esfuerce por comprenderlos y por hacerlos comprensibles. Incluso, y con intención de humanizarse y desdivinizarse, se mostrará falible, inseguro a veces. Cuando está dentro, puede darse el caso, excepcional desde luego, de que proclame su unidad con el personaje a través de una afirmación o de una negación; este último caso es el de *El amigo Manso,* iniciado por aquella conocida declaración en que el protagonista se dice inexistente. El narrador interno puede presentarse como testigo, como alguien que, a diferencia del narrador-personaje, presencia los sucesos sin participar en ellos. Estadísticamente, este narrador y el omnisciente son los más frecuentes en la novela española del siglo XIX.

No es del caso entrar aquí en el estudio de lo que mucho después iba a llamarse esperpento, aunque en el siglo XIX hay escenas y personajes que cabría incluir bajo esta rúbrica. Pienso en casos como el de don José Ido del Sagrario y aun en algunas páginas que se refieren al Villaamil de *Miau.* Sólo en este siglo, y en Valle Inclán, la deformación de la realidad es sistemática y origina un nuevo género o subgénero literario.

Los modos de aparición del narrador y los de identificación del narrador por el lector son temas necesitados de algunas observaciones. Ateniéndome a lo esencial, diré que aquél, sea la que fuera su situación, unas veces se presenta del modo abrupto que acabo de señalar en *El amigo Manso,* haciendo tajante declaración de presencia y de identidad, y que en otras ocasiones va surgiendo poco a poco, según ocurre en *Pedro Sánchez,* donde todo el primer capítulo se dedica a la presentación del narrador-protagonista. A Galdós le bastó una línea donde Pereda necesitó ocho páginas. Es posible también que, como sucede en *La de Bringas,* tardemos en darnos cuenta de quién es el narrador; en novelas como ésta son necesarias muchas páginas para que pueda ser bien conocido; es más, casi pudiéramos decir que no acabamos de conocerle hasta el final de la obra, cuando le vemos disfrutando los favores de Rosalía.

Creo que con lo dicho se observará que el narrador es algunas veces perfectamente definido, siendo posible caracterizarle y casi dibujarle como uno más de los entes de ficción, mientras que otras será indefinido y, por lo tanto, borroso, sin que logremos formarnos idea clara de cómo y por qué ha aparecido en la novela. Para caracterizarle e identificarle, el lector atenderá (aunque esta atención no haya de ser necesariamente consciente y puede prestarse sin pensar en ello) a lo que dice, o a lo que calla, o a la que sin callar por completo quisiera soslayar. Cabrá identificarlo por sus actitudes frente a los personajes y frente a la fábula, por sus opiniones e intereses. Siendo quien cuenta lo que ocurre, en cada ocurrencia estará de algún modo su reflejo.

Pasando a estudiar, también brevemente, las relaciones del narrador con lo narrado, parece que habrán de hallarse en estrecho contacto con la situación, a que ya me he referido, del narrador en la novela. El ejemplo de *La de Bringas* es seguramente el de máxima identificación entre el narrador y lo narrado: convertido en personaje se siente al mismo nivel que las demás figuras novelescas y acaba relacionándose con ellas en la forma indicada. En el otro extremo del abanico de posibilidades que en cuanto a esto se ofrecen al novelista, mencionaré la actitud de *Fernán Caballero,* que se siente dueña de la fábula y de los personajes y los maneja de acuerdo con ideas preconcebidas, que, como es lógico, coinciden con los juicios y prejuicios que caracterizan a la autora.

En una zona intermedia se sitúan otras novelas, por ejemplo, las de Pereda, localizadas en La Montaña; en ellas, el narrador se encuentra afectivamente cerca de lo narrado, pero el artista mantiene una distancia estética que le permite ser fiel a la realidad novelesca y al mismo tiempo reflejar la otra realidad, la de la vida, de que el autor ni consigue ni quiere desprenderse. Es una cuestión de distancia que puede alterarse sutilmente, como en *Clarín,* utilizando la ironía. En *Su único hijo* y en *La Regenta,* Alas está intelectualmente distanciado de los personajes, y puede verlos en frío, pero emocionalmente van apoderándose de él y le van atrayendo según los va viendo crecer; es como si sintiera afecto paternal por las criaturas que ha inventado. De ahí la mezcla de ironía y ternura que estudiaré en el capítulo correspondiente.

La clasificación que cabría intentar del narrador respecto a lo narrado pudiera ser semejante a la reflejada en el siguiente esquema:

	Impasible
Observador:	Interesado
	Apasionado
Imaginativo:	Inventor de su realidad
Mitógrafo:	Creador de mitos
Didáctico:	Transmisor de alguna enseñanza
Moralizante	

Tal esquema únicamente será útil si se tienen en cuenta sus limitaciones, pues ni aun Flaubert, que tanto se lo propuso, fue en su novelar totalmente impasible. Lo natural y corriente es que el narrador sea a la vez observador e imaginativo; que unas veces cree deliberadamente los mitos, y que otras ellos le arrastren, incluso inconscientemente. Y aunque no sea intencionalmente moralizante y didáctico, bien puede suceder que el lector deduzca de la lectura una moral y una enseñanza.

La problemática relativa a la relación narrador-lector es tan atrayente que su estudio exigiría un trabajo independiente. Aquí no iré más allá de las ideas generales, recordando lo ya apuntado: toda narración está escrita para un lector, que a veces será indeterminado, eso que vagamente se llama público, y otras se caracterizará por pertenecer a un determinado grupo social [34]. Por consenso general de la crítica, se ha considerado que la novela del XIX es género burgués; sin entrar en cuestión tan trillada, indicaré que al dirigirse a un lector «amigo», como entonces solía ocurrir, el narrador está pensando en alguien situado a su nivel y seguramente perteneciente a su misma clase. He oído atribuir a Oscar Wilde, aunque ahora no puedo documentarla, esta frase: «Es mi amigo quien entiende mis bromas.» Me parece que Wilde ilumina la cuestión de que estoy hablando, pues cuando Pereda escribe *Sotileza* para sus *viejos amigos* de Santander, está pensando en un público restringido y preciso que por vivir a la altura de la mentalidad perediana podía entender mejor que otros las peculiaridades de su obra.

Constantemente hallamos en las novelas del siglo XIX llamadas al lector, unas en forma directa, mencionándole, requiriéndolo para que escuche, para que se fije y atienda; otras de modo indirecto, utilizando recursos tales como el subrayado, el empleo de comillas, el poner entre paréntesis una frase. No es infrecuente encontrar una glosa o comentario de la peripecia novelesca, superflua en apariencia, y sólo inteligible como recurso de que se sirve el narrador para dirigirse directamente al lector, por encima o por debajo de la narración.

Como los novelistas tenían un público hecho, fiel, seguro, no se plantea respecto a ellos el problema que no podría soslayar si tratase de la novela del siglo XX. A saber: el de si escriben para un público mayoritario o minoritario, e incluso para una determinada clase social, como ciertos escritores han intentado hacer en años recientes.

Creo que este rápido resumen de problemas, todavía sin estudiar o poco estudiados, dará idea del extraordinario alcance que el estudio del narrador puede tener. Añadiré que una tentativa de clasificación del lector, en relación con el narrador, debiera tener en cuenta que siendo el lector en la novela una creación del narrador ha de corresponderse de algún modo con lo que el narrador sea. A un narrador familiar corresponderá un lector amigo; el narrador proselitista ha de contar y dirigirse a un lector persuadible, mientras que

---

[34] El caso más extremado que conozco es el de LOPE DE VEGA, que en las *Novelas a Marcia Leonarda* se dirige una y otra vez al lector único para quien las escribe.

el narrador-informador se contentará con un lector que ignore los hechos de que habla. Apenas es necesario añadir que un mismo lector puede desempeñar funciones diferentes, como tal lector, en la novela que para él se escribe. El lector ideal se adaptará con facilidad a los giros que inevitablemente el narrador dará a la narración.

CAPITULO I

EL COSTUMBRISMO MORALIZANTE DE *FERNAN CABALLERO*

La publicación en 1849 de sus cuatro primeras ficciones extensas *(La gaviota, La familia de Alvareda, Una en otra, Elía)* convierte a Cecilia Böhl de Faber en «pionero ejemplar» [1], como la llama Montesinos, de la técnica de novelar. Ella devuelve al género ese saber, aletargado durante más de un siglo, sobre cómo construir una novela. Y lo hizo a pesar de sus prejuicios, pues su ideología reaccionaria, su ñoñería, su tozudo y parcial moralismo en bastantes ocasiones se presentan al lector como barrera infranqueable para la comprensión y disfrute estético. Con todo, antes de que los costumbristas más destacados, como Mesonero Romanos o Estébanez Calderón, hubieran ni siquiera intentado escribir un relato novelesco (y cuando lo intentaron no les acompañó el éxito), doña Cecilia tenía en su cajón, aunque no publicadas [2], obras con las que abriría un nuevo capítulo en la historia de la novela española.

¿Cómo es una novela de *Fernán Caballero*? Si aceptamos lo dicho por el barojiano protagonista de *Las inquietudes de Shanti Andia* será: «Un cuarto bien adornado, pero tan estrecho que dentro de él no se pueden estirar las piernas sin tropezar en algo» [3]. Cecilia Böhl de Faber supo construir ese cuarto, imagen del mundo, que es la novela, con realidad y entidad propias: en él las cosas tienen sentido al relacionarse entre sí. En la lectura, a veces, chocamos con lo que se dice, incluso llegamos a sonrojarnos por lo escrito, como por algunas ñoñeces o afectaciones de Elia, la protagonista de la obra titulada con su nombre, o el final, desilusionante, por lo pueril del

---

[1] En el prólogo a *Elia* (Madrid, Alianza Editorial, 1968), de JOSÉ F. MONTESINOS, p. 20. Citaré por esta edición, poniendo la página correspondiente entre paréntesis en el texto.

[2] Las primeras obras de *F. Caballero* se publican en 1849, pero en 1835 tenía ya escritas al menos dos, como señala JAVIER HERRERO en *Fernán Caballero: Un nuevo planteamiento,* Madrid, Editorial Gredos, 1963, pp. 280-281.

[3] Tomo la cita de JOSÉ F. MONTESINOS, *prol. cit.,* p. 18.

destino reservado por la autora a los amores de Elia y Carlos. El fanatismo moralista de *Fernán Caballero* puede llegar a extremos inauditos, mas, con todo, tuvo suficiente talento —y seguimos de nuevo a Montesinos— para imaginar ese cuarto, que «está ahí, y que podemos sentirnos dentro de él, aunque tal vez demos sin querer una patada a una silla o a una maceta. El saber hacer este ilusionismo era otra vez cervantino...» [4].

Mi propósito actual es observar de cerca cómo el narrador presenta ese «cuarto», prescindir hasta donde sea posible del decorado y la pintura, comprobar si las paredes son sólidas y firmes los cimientos y así ver si la «*house of fiction*», como la llamó Henry James, es habitable y hasta confortable. Dejando a un lado las metáforas, esto quiere decir que, partiendo de la voz narrativa y desde su perspectiva, estudiaré la novela en su estructura, en sus elementos y accesorios...; y, por último, el papel del lector, a quien todos los esfuerzos, tanto de construcción como de decoración, están dirigidos: él es el habitante distinguido para quien se realizan.

La razón de elegir a *Elia,* entre las obras de *Fernán Caballero,* es quizá fácil de adivinar: su brevedad y su ejemplaridad. Además, los elementos costumbristas y folklóricos, los «muebles» con que Baroja chocaba, constantes en sus narraciones, se encuentran y están aquí dentro de límites manejables.

Estructura

Utilizando otra imagen barojiana, «la novela es un saco donde cabe todo», diré que el de *Elia* está repleto; la autora metió en él lo posible y lo imposible, y, por ello, estallan las costuras. Enamorados y bandidos, recetas y cuentecillos asoman entre puntada y puntada, intentando salir, desligarse de la obra y vivir su vida; aunque pretenden ser unidades de ficción independientes, nunca lo consiguen del todo; la textura de la narración resulta lo suficientemente elástica y fuerte como para tolerar el peso sin romperse.

Dos son, a grandes rasgos, las maneras de analizar el diseño: una, busca el principio de coherencia de la obra, su estructura; otra, el estudio separado de los elementos que la integran, induce a desmembrarla. Dada la sencillez de la fábula —amor imposible por desigualdad social de los personajes (él, aristócrata; ella, pobre e hija de un bandido)—, el diseño pudo ser muy elemental, pero la autora lo complicó arrojando al «saco» cuentos, escenas costumbristas y refranes, cuya inclusión diluye el argumento. Si para estudiar su organización desmantelamos la novela y analizamos aisladamente sus compo-

---

[4] *Ibid.,* p. 20.

nentes, llegaremos a deshilacharla; al final quedarán tantos cabos sueltos que será difícil reconstruirla.

Si buscamos, en cambio, el principio de coherencia, el sistema de «relaciones latentes», como dice Gérard Genette [5], que asocia los elementos de una obra (o de un objeto, si de objetos se trata), interrelacionándolos funcionalmente, cada uno de ellos cobrará un significado más amplio del que parecía tener. Elementos a primera vista disgregados tendrán sentido en el conjunto.

La estructura de *Elia* es fácil de describir: narración de unos amores románticos inserta en un folletín. Amores contrariados que imponen una dialéctica triangular, aunque no la del clásico triángulo: marido, mujer, amante, sino el compuesto por los dos enamorados y el personaje en quien encarna la intolerancia social (la Marquesa de Valdejara, madre del amante). La obra expone la constitución, desarrollo y disolución del triángulo. El folletín está implícito: es el oscuro origen de Elia lo que determina la actitud de la Marquesa y su función estructural; la novela romántica y el folletín aparecen así mutuamente subordinados.

Los personajes integrantes del triángulo estructural tienen carácter arquetípico. La Marquesa de Valdejara, doña Inés de Córdova, respira con naturalidad en la atmósfera creada por el narrador: la de la intolerancia. Pertenece a la estirpe en que Galdós encontrará más tarde a doña Perfecta; como ella es persona «virtuosa, caritativa y muy señora, pero orgullosa, intolerante y rígida» (p. 35). Esto desde el punto de vista del narrador. Arquetipo de la intolerancia, su línea de conducta no cambia y su carácter de una pieza hace previsibles sus movimientos. Como tal arquetipo sería intercambiable con otra figura de su misma especie; es más importante por lo que representa que por lo que es.

No menos representativos y hasta tópicos son los otros dos componentes del triángulo. El galán enamorado, Carlos, hijo de la Marquesa, es, o se dice que es, «liberal» (p. 34); su liberalismo es motivo de fricción continuada entre él y su madre (y con el ambiente en que se mueve: el de la nobleza). Como corresponde a su función, Carlos es apuesto y joven; «exaltado por la alegría» (p. 42) y efusivo, contrasta con la reserva de su madre. La diferencia de caracteres sugiere la posibilidad de divergencia en las actitudes, y no sólo en lo político, donde las discrepancias saltan a la vista. El contraste tipológico tiene expresión relevante cuando Carlos llama al rey Fernando VII « ¡Narigudo! » (p. 43) —que lo era—, y su tía, la Asistenta, doña Isabel de Orrea, servilona de «excelente índole» (p. 34), y su madre se le echan encima. Desde ese punto de vista, el lector sabe

[5] Gérard Genette, *Estructuralismo y crítica literaria,* Argentina, Editorial Universitaria de Córdoba, 1967, p. 37.

que la oposición ideológica y temperamental entre madre e hijo será irreductible.

Fernando, el primogénito de la Marquesa, piensa como ella y cuando sea necesario la sustituirá. Estructuralmente análogo, es en lo personal menos rígido. Entre él y su madre, la diferencia es de maneras y temperamento; no de ideología, y menos de creencias.

El tercero de los componentes del triángulo lo presenta el narrador indirectamente, en una conversación entre otros personajes. Incidentalmente se informa de que Elia es «preciosa» (p. 50). Cuando haga su entrada en la novela, Carlos la hablará con familiaridad, remitiéndola a un pasado común: «Elia, y de mí, ¿te acuerdas?» (p. 61), mientras Fernando, más formalmente, la preguntará: «¿Y de mí *os* acordáis, Elia?» (p. 62). El matiz tiene sentido; la diferencia de reacción revela diferencias de actitud. El narrador no deja de subrayarlas: «Al oír suprimir el franco *tú* que había gastado Carlos con ella... contestó con un sentimiento penoso: "Sí, señor; en el convento nada se olvida, ni nada se altera"» (p. 62). La cortesía distanciadora de Fernando es una llamada de atención que la pone en su sitio: en un nivel que ya no será el de las relaciones infantiles. La variación en el tratamiento basta para marcar la alteración en el orden de las relaciones.

El folletín —los orígenes misteriosos y probablemente ilícitos de Elia— gravita sobre la novela y va a determinar su forma, aunque en los capítulos iniciales no puede todavía descartarse la posibilidad de un «final feliz», de un desenlace no desacorde con las reglas del género, en que Elia hubiera resultado hija de algún noble caballero. Esta solución fue descartada por la autora, muy acertadamente, pues de haber optado por ella la novela hubiera quedado reducida a un entretenimiento para colegialas. Pero es mucho más; es una novela cuya dialéctica amor-convencionalismo social encierra un choque de pasiones hábilmente tratado por la autora.

En el capítulo duodécimo, central de los veinticinco en que se divide la obra, esta dialéctica enfrenta al enamorado y a la madre, que le ordena dejarse de «novelas [sus amores] para circunstancias menos graves» (p. 133). El hijo se niega y la señora decide entonces cortar la «novela»; le maldice, y decreta que si ha de haber novela, no será de intriga amorosa, sino folletinesca: «Caiga el velo que cual una nube preñada de tormentos y males ha cubierto el fatal secreto de su nacimiento [el de Elia]» (p. 132).

La intolerancia precipita los acontecimientos. La Marquesa visita a la muchacha, la cuenta el folletín y acaba conminándola: «pesa bien si la hija de un facineroso y de una mujer perdida puede pensar en unirse a las dos primeras casas de Andalucía» (p. 139). Según es regla en el género, las desgracias se suceden: Carlos se ausenta; la protagonista, enferma, luego marcha al campo, donde encuentra al padre malherido y lo ve morir; la madre adoptiva muere también; Carlos es herido en un duelo y se ve obligado a huir... El folletín despliega sus luces y sus improbables azares. Bajo la presión estructural, los acontecimientos se precipitan: Elia vuelve al convento, renunciando a la novela de amor, y aun a la vida, pues en el convento no hay pasado ni futuro. La Marquesa ha vencido. Diversos obstáculos impiden que Carlos regrese a Sevilla, hasta el día en que Elia profesa; trata de volverla a su novela, mas es inútil; la novela ha terminado, y el folletín acaba en catástrofe.

COSTUMBRISMO

Un análisis del costumbrismo en *Fernán Caballero* parece punto de partida obligado para entender su utilización en *Elia*. Javier Herrero plantea el problema en estos términos: «Gran parte de la obra de Cecilia es anterior a los costumbristas y a Balzac...» [6]; *Elia,* en opinión de Herrero y de Montesinos, debió de ser escrita en 1835 [7]. Herrero ha estudiado minuciosamente la abundante correspondencia de la escritora y llega a importantes conclusiones sobre su método de novelar: «Que su labor es esencialmente la de recopilar lo ha dicho ella misma en múltiples ocasiones, insistiendo en ello como en la piedra angular de su costumbrismo...» Y añade: «En un documento tan conscientemente literario como el prólogo a *La gaviota* dice Cecilia que para escribir esa novela 'no ha sido preciso más que recopilar y copiar'» [8]. El auge del costumbrismo podrá ser posterior y proceder de otras fuentes, pero el suyo es, como recuerda Herrero, heredado de sus padres, el erudito Böhl de Faber y la pintoresca doña Francisquita, aficionados a coleccionar anécdotas y apuntes de la realidad.

Los materiales costumbristas: escenas típicas andaluzas (pp. 113-114, 114-122), cuentecillos (42, 47, 98, 150, 151-154), coplas (34, 173), refranes (por ejemplo, 97)..., son muy numerosos, y a cada paso aparecen. El lector acaso tenga la impresión de que doña Cecilia coleccionó sus apuntes para utilizarlos como relleno en sus obras, y algunas veces se diría que así ocurrió; pero analizando sus funciones vemos que, por lo general, la escritora sabía utilizar los mencionados elementos de acuerdo con el diseño novelesco, aunque en ocasiones se le iba la mano por el gusto de recordar algo chistoso, aunque no viniera muy a cuento.

---

[6] JAVIER HERRERO, *op. cit.*, p. 305.
[7] MONTESINOS da esta fecha en *prol. cit.*, p. 23; JAVIER HERRERO, *op. cit.*, p. 314.
[8] JAVIER HERRERO, *op. cit.*, p. 288.

Tres son las funciones principales desempeñadas por los elementos costumbristas en las novelas de *Fernán Caballero*. En su función ambientadora cooperan a la creación del espacio novelesco; en la caracterizadora subrayan aspectos y comportamientos típicos de algunos personajes; por último, contribuyen a nutrir la textura novelesca, dando un respiro a la fábula y rodeando la acción central de particularidades que la hacen más aceptable.

El espacio geográfico de la novela es, como sabemos, Andalucía. Cuando el narrador nos lleva de excursión al campo andaluz, ¿cómo podría ambientarlo mejor que presentando a tipos tan «pintorescos» (para él) como unos jornaleros sucios y pobres, dedicados a la recolección de la aceituna? Describiendo una escena «costumbrista» pone de relieve la diferencia de clases, que es, en este plano, el correlato social a la oposición personal de la Marquesa a Elia. En esa escena (pp. 113-114), los pobres no piden justicia, sino caridad. No reclaman sus derechos, de ser humano a ser humano, sino hablan a quienes son diferentes y están más altos, de tú a usted.

Algunos lectores podrán encontrar lo costumbrista fuera de lugar y creer que estropea la novela. Me parece, sin embargo, que el narrador maneja eficazmente los elementos de este tipo, sin dejarse arrastrar por ellos, hasta el punto de olvidar el diseño novelesco, que es lo que en verdad importa. La escena es un intermedio pertinente, como lo demuestra el hecho de que después de habernos distraído un poco y de reforzar el fondo social de la novela, la cámara enfoca de nuevo a los amantes.

La utilización de los refranes sirve los mismos fines ambientadores, caracterizadores y amortiguadores de la tensión. En el refrán «Honra y provecho no caben en un saco» (p. 95), las tres funciones están claras. Las dos primeras se interrelacionan: el pobre con honra, en este caso el jornalero andaluz, prefiere perder su pan a doblegar su voluntad; la función diversiva es inherente al uso del refrán mismo, afirmación de una verdad referida sólo indirectamente al asunto de que se trata.

Espacio - tiempo

El título completo de la novela es *Elia o España treinta años ha (1814)*. Así, desde antes de comenzar la lectura, sabemos cuál es el espacio geográfico y el tiempo cronológico en que la acción ocurre: la España de 1814 [9]. No sólo por ir unidos en el título, sino por creer

[9] Brian J. Dendle ha publicado una curiosa vista, «The First Cordero: *Elia* and the *Episodios Nacionales*» (*Anales Galdosianos*, VII, 1972, pp. 103-105), señalando el carácter de episodio nacional de la novela que estudiamos.

en su absoluta interrelación, estudiaré juntos ambos elementos. Espacio y tiempo no son abstracciones, sino realidades visibles, de cuya verosimilitud depende que el lector acepte como genuino el universo ficticio [10]. El espacio y el personaje casan bien: España, y más concretamente Andalucía, donde el noble era —y todavía, en parte, es— poseedor de la mayor parte de las tierras y de las riquezas del país, ofrece a la rígida y soberbia Marquesa un escenario de contrastes sociales adecuado para el despliegue de su intransigencia. Y el tiempo: 1814, el año de la restauración de Fernando VII, que trajo consigo la vuelta de la Inquisición, la abolición de la Constitución del 1812 y catástrofes mayores.

El espacio se define, inconfundible, desde la segunda línea de la obra: las campanas de Sevilla anuncian algo gozoso, y ese algo lo dice jubilosamente el narrador al final del primer párrafo: «¡Fernando VII acaba de volver a ocupar el trono de sus antepasados!» (p. 33). Y mientras Sevilla celebra su «rey puesto», asistimos a la creación del espacio novelesco, en que se enfrentan ideología y pasiones. La nota premonitoria se oye cuando cierto militar dice a un amigo: «Llévame a su casa [...]; la hermosa Esperanza me ha dado flechazo.» «¡De ello me libre Dios! —exclamó su interlocutor—. Son todos los de esa familia y los de su círculo servilones de siete suelas, y tú, que la echas de liberal, serías recibido en ella como perro en misa.» «Aguardaré —repuso el artillero— a que llegue Carlos Orrea, que es mi amigo, y tan liberal como yo, para que me presente a ella, e introduzca en su casa la tolerancia, tan necesaria en las ideas como en la sociedad» (p. 34). Pero ni Carlos ni nadie llevará la tolerancia a casa de los Orrea. Las señales son inequívocas; ni teatros, ni bailes, ni galanteos, ni obsequios. Atmósfera opresiva la de este espacio, fiel reflejo del absolutismo y la tiranía implantadas por Fernando VII. El brindis (p. 37) de la Marquesa, poco más adelante, fija el tono de la novela. Quien no acepte los valores de la reacción será menospreciado o vejado, como el pobre don Narciso, inocente librepensador.

La relación antagónica madre-hijo es consecuencia del ambiente opresivo creado por la Marquesa. La «intolerancia [—dirá Carlos—] es el distintivo del modo de pensar contrario al mío» (p. 45). «No es su distintivo —dijo la Marquesa—, es su derecho; el error tolera, la verdad condena.» Dada la configuración espiritual de este espacio, desde muy pronto puede preverse el desarrollo de la fábula y hasta su desenlace: el ambiente opresor favorecerá a quien pretende imponer su voluntad a los candorosos «liberales» que en amor y en

---

[10] RICARDO GULLÓN, en su estudio sobre «Espacios novelescos» (en *Teoría de la novela,* editada por AGNES y GERMÁN GULLÓN, Madrid, Taurus, 1974), analiza esta cuestión con detalle.

política piensan de otra manera. Y es el ambiente lo que permitirá a la Marquesa mantener alejado a Carlos, hasta que Elia haya sido sepultada en el convento.

El tiempo psicológico se ajusta en *Elia* al de la Historia. Tiempo interior y tiempo histórico igualmente negativos en cuanto los preside una idéntica voluntad de dominio. Acelerado el primero, pues las pasiones en que se basa la relación estructural están subterráneas y pueden surgir y surgen de repente, casi como en un estallido. Pasión y oposición crecen aceleradamente, y su intensidad quema las horas y exalta a los personajes. Tiempo intenso, reflejo del espacio, denso de violencias potenciales y de crímenes reales.

Personajes

Aunque ya el autor de *El Lazarillo de Tormes* presentó el «hacerse» del personaje, fue Cervantes quien dio el espaldarazo a esta forma de crear los caracteres novelescos [11]. De Amadís, personaje de una sola pieza, arquetipo, pasamos a través de Lázaro a don Quijote, el hombre y el individuo. El ilustre hidalgo se va formando en su relación con los demás y con las circunstancias del mundo en que se mueve. *Fernán Caballero* no supo ver esta lección; o no la comprendió, o no la quiso entender. Dividió a sus personajes en blancos y negros, y el color no variará, ni se desvanecerá por muchos y muy diversos que sean los contactos y accidentes a que se vean sometidos.

En el prólogo a *Elia* («Una palabra del autor al lector») defiende la validez del tipo de la protagonista. Probablemente notó que la enamorada era un tanto ñoña y presintió algunas resistencias en el lector: «Harannos el primer cargo aquéllos que, considerando como el verdadero tipo de amor contrariado a la célebre Eloísa, juzguen que el nuestro, Elia, es nulo, descolorido y fuera de lo natural en parecidas circunstancias» (p. 29). Anticipa, para desvirtuarlas, las más obvias objeciones al personaje. Y ya embarcada en el tema, explica (desde fuera de la novela) los sentires de su criatura: «Harémosles notar [a los lectores] que el amor puro de una niña criada en el convento —a cuya alma inocente e infantil apenas ha llegado el perfume de la flor de amor— y que impelida por terribles circunstancias y la propia inclinación se vuelve voluntariamente al retiro que ama, porque no quiere ni puede arrastrar la opinión, ni rebajar, uniéndose a él, al hombre a quien ama, es en todo y por todo el más perfecto contraste con la mujer hecha, con la gran señora, que en la edad y en la fuerza de las pasiones desenfrenadas hasta la brutalidad, cogió el

---

[11] Américo Castro, «Prólogo» a *Don Quijote de la Mancha,* México, Editorial Porrúa, 1960, p. xiii.

fruto de la pasión siendo amante y madre, con la mujer enérgica, que es encerrada en un convento, como lo sería en una prisión, que la separa de un hombre a quien honra y eleva con su cariño» (pp. 29-30). Lo del contraste es cierto, pero aparte de que Elia resulta exageradamente débil para enfrentarse con la Marquesa, sus amores son «irreales» y toda ella falta de relieve. Es a ella a quien hubiéramos querido oír, pero es la autora quien sigue justificándola y justificándose: «Puede que una mujer que no ama con furor no sea el tipo que llena el ideal que muchos se creían; pero puede también que sea el que prefieren almas menos romancescas y más poéticas; es decir, las que simpaticen más con la verdad y la sencillez, que no con la elevación y energía, a veces ficticia y forzada en las producciones literarias, como en la vida real» (p. 30). Todo esto, si no muy convincente en cuanto al personaje, puede, en cambio, hacernos ver que la autora se había alejado del romanticismo, al menos en teoría, y que, como luego en *La gaviota,* un desenlace *realista* le parecía más aceptable que un final feliz, a su juicio falso por estar en desacuerdo con lo que el personaje es.

Mi objeción a personajes como éste es que resultan esquemáticos, tipos, más que seres humanos, que en la relación estructural operan más en el nivel arquetípico que en el personal. Elia actuará de acuerdo con las ideas expuestas por *Fernán Caballero* en el prólogo. Su trayectoria no puede ser más simple:

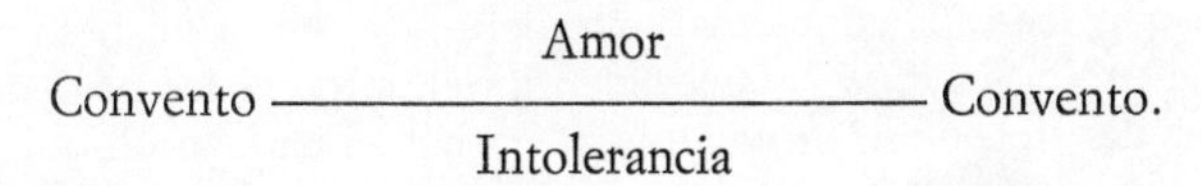

Y el proceder de los restantes entes de ficción será previsible, porque pertenecen a la clase de los que Forster llama «flat» [12], lisos. Son líneas de conducta rectas, a las que nada hace cambiar de rumbo. Carlos, «exaltado» y «liberal» en los comienzos, es lo mismo mientras duran sus amores, o cuando al final muere luchando con las fuerzas rebeldes. Lo que no le vemos hacer es ejercitar la inteligencia; ni siquiera un mínimo de habilidad. Su madre no sólo no varía a lo largo de la novela, sino que, con trayectoria tan rectilínea como la de Elia, es siempre igual a sus prejuicios, más ideología que mujer. A Fernando le califica el narrador de «noble tipo del mayorazgo» (p. 191), y como tal se nos presentará. Carlos lo juzga bien como «hijo de nieve, de una madre de hielo» (p. 195); pero si en la Marquesa no hallamos ningún vestigio de calor humano, en Fernando sí. Fiel al tipo y no a los sentimientos, sabemos de él que anduvo enamorado de su prima Clara, aunque por ser prima suya se creyó

[12] E. M. FORSTER, *Aspects of the Novel* (de 1927), New York, Harcourt, Brace & World, Inc., 1954, pp. 67-69.

obligado a «ahogar» su pasión, y esto es lo que, según el narrador, revela la nobleza de su carácter; de un carácter que desde el principio queda definido, sacrificando la humanidad a la representatividad.

Podría alargar la lista de personajes, pero no para descubrirles más flexibles, sino, si acaso, para aplicarles el calificativo que mejor les conviniera, el emblema de su función, constante en toda la obra: la Asistenta, o la caridad; don Narciso, o el librepensamiento, etc. Caracteres lineales, sin relieve; nada de lo que ocurre afecta su modo de pensar ni les impulsa a cambiar de opinión. En este aspecto —el de la creación y tratamiento del personaje—, *Fernán Caballero* no aportó grandes novedades a la narrativa moderna, que con ella estaba inaugurándose. Por la rígida consistencia de las figuras padece la novela de amor y es menos convincente de lo necesario. En un mundo poblado por tipos apenas cabe otra relación que la impuesta por su tipicidad misma. Quien habla no escucha y quien escucha no oye. No hay real intercambio de afectos. José F. Montesinos dijo: al ser sus «personajes [...] figuras *típicas*, y *pretextan* un estudio rendido o satírico, ditirámbico o sarcástico de ciertos *modos de vida,* mientras que la novela, en mayor medida cada vez, se interesa por la *manera de ser* de personajes bien determinados» [13]. Palabras certeras: las ficciones en que los personajes no se encuentran dotados de la capacidad humana de cambio suelen parecer al lector de hoy esquemáticas, primitivas o falsas.

Estilo

Dije antes que, en lo que se refiere a la creación del personaje, doña Cecilia no asimiló la lección de Cervantes. Algo aprendió de él en otros aspectos, como recordó Montesinos: «Cervantes había descubierto o puesto a punto una noción estética de alcance incalculable: la novela tendrá que ser narración hasta cierto punto, pero es sobre todo descripción, y la narración misma puede ser descriptiva. Cervantes apenas dice nunca que algo pasa sin pormenorizar cómo pasa y de esta concepción arranca la de Fernán Caballero» [14]. Y éste es el punto donde el gusto por el costumbrismo resulta útil para la modernización (para la pormenorización) de la novela. Claro está que Cervantes no sólo dirá cómo son sus personajes, sino que nos los presenta actuando y cambiando ante los ojos del lector. *Fernán Caballero,* cierto es, definirá a los personajes de una vez por todas, pero la trama se desenvuelve en forma tal que la narración es una preparación para la escena a que se nos invita.

[13] José F. Montesinos, *Fernán Caballero: Ensayo de justificación,* México, El Colegio de México, 1961, pp. 32-33.
[14] José F. Montesinos, *prol. cit.,* pp. 20-21.

La representación ocurre en dos formas: por medio del diálogo o por medio de la descripción. La estructura narrativa suele seguir este orden: primero, el narrador presenta, o describe, brevemente al personaje; segundo, reproduce un diálogo en el que la acción va tomando cuerpo. Veamos, por ejemplo, cómo se presenta a Carlos y a Fernando:

> El uno alto, derecho, de aire noble y distinguido, de perfectas facciones, vestía el severo peti del uniforme de guardia walona y se apoyaba contra un olivo. El otro, algo más joven y menos alto, se había recostado sobre la hierba. A su hombro izquierdo pendían, con un elegante dormán de húsar, los cordones de ayudante; se había quitado el chacó, y el viento jugaba con los negros rizos de su cabellera (p. 39).

Sigue el diálogo entre los hermanos, en que los personajes se manifiestan directamente, con un mínimo de interferencia del narrador. Luego una transición sencilla; un cambio de escenario y otro momento en que se deja hablar al personaje.

Para presentar a Elia, el narrador recurre a la descripción: «Era Elia de media estatura y perfectamente formada [...]» (p. 60), continuando en este tono durante media página. Más adelante, de acuerdo con la pauta establecida, se pasa a una escena dialogada (cuando Carlos tutea a la muchacha y Fernando la trata de vos). No creo exagerar diciendo que característica de escenas como ésta y, aun del estilo en general de *Fernán Caballero,* es la teatralidad: situaciones, gestos, movimientos... aparecen como si quienes participan en aquéllas o realizan éstos tuvieran una cierta inconsciencia (falta de conciencia) de la presencia del espectador invisible llamado lector. Por eso, y por su desvinculación de los clichés románticos, puede decirse que *Fernán Caballero* inaugura en el siglo XIX el camino de la dramatización narrativa. Gracias a su estilo supo construir el cuarto de que hablaba Baroja; gracias a sus aptitudes para la escenografía y el movimiento de las figuras logró, en ocasiones, hacernos olvidar el esquematismo y la lisura de éstas.

Las intervenciones del narrador suelen ser acumulaciones de imperfectos, donde se cuenta lo pasado, dejando una puerta abierta al presente [15]. Los diálogos y escenas son transcripciones suyas, con frecuencia enojosas por la repetición constante de locuciones como «le decía», «proseguía», «dijo», etc. (Cito estos tres ejemplos abriendo al azar una página cualquiera —la 43—, pues la novela rebosa de cosas así.)

---

[15] Véanse como muestra las páginas 32-33, 37, 45, 59 y 81.

Narrador - lector

El narrador es en la novela el emisario del autor; con él entra el lector en contacto, es el filtro por donde la fábula ha de pasar. El autor gradúa su posición, pero cuando la novela empieza, tanto si es un personaje más, según ocurre en algunas ficciones de Galdós, como si es una voz omnisciente, la relación se mantiene exclusivamente con el narrador.

Ideológicamente es fácil caracterizarlo. Su ideología se manifiesta por declaraciones directas y extemporáneas, si, olvidándose de lo que está contando o dejándolo a un lado, se dedica a adoctrinar al lector y, de modo más agresivo, cuando trata de poner en ridículo a quienes tienen ideas contrarias a las suyas, valiéndose para ello de lo dicho por otros personajes.

Estas intromisiones del narrador merecen ser examinadas de cerca. Buen ejemplo de la primera de esas formas de presionar al lector lo encontramos en las páginas en que se habla de que Carlos piensa batirse. El narrador, olvidando toda pretensión a la objetividad, suspende el relato para lanzar una diatriba contra el duelo, e incluso subraya las palabras más significativas, como medio de forzar aún más la atención del lector:

> Eran entonces los desafíos poco frecuentes en España, siendo fácil colegir la razón de esto, cuando se examinan las principales causas que los hacen frecuentes en otros países. Son éstas a menudo:
>
> *Ostentación y alarde de valor.*
>
> No se hacía *por* creer se pierde en mérito intrínseco lo que se exhala en bravatas.
>
> *La susceptibilidad, hija de la vanidad.*
>
> Existía en contra de esto una tolerancia fácil y de buen gusto en un país donde era desconocida la grosería, que tan frecuentemente origina los lances en otras partes. Además, no estaban los ánimos exasperados, agriados, desunidos y soberbios, cual los han puesto, para eterna desgracia, la diversidad de opiniones políticas y la libertad de imprenta, ese punto culminante de las modernas exigencias, la que va introduciendo las luces que es un contento.
>
> Había aún más: los desafíos estaban *mal vistos,* y no existía la completa despreocupación moderna en punto a la opinión. El que hubiese creído adquirir la fama de bizarro por medio de los falsamente llamados *lances de honor* sólo hubiese logrado adquirir la de quimerista y *valentón.* Omitimos el hablar de las santas y nobles ideas religiosas, que ejercían su influencia adorable sobre las cosas, los hombres y la opinión, porque mezclarlas hoy día en las cosas del mundo, que hace gala de desatenderlas, es mezclar un solemne acorde del órgano al discordante y estrepitoso toque de tambores y cornetas (p. 183).

De aquí se deduce que el narrador considera nocivas la tolerancia política y la libertad de opinión, que es natural consecuencia de aquélla. Habla con inconfundible tono de seguridad; lo que dice no tiene, a su juicio, vuelta de hoja. La libertad de imprenta, la diversidad de ideas políticas, la falta de «santas y nobles ideas religiosas» (católicas, se entiende), son dañinas. La tonalidad de la expresión coarta cualquier tentativa de disentimiento por parte del lector, que, convencido o no, advierte que el narrador pertenece al mismo tipo *flat* que los personajes, y es tan «típico» y tópico como ellos. No pierde ocasión de manifestar su adhesión a lo pasado y, en cuanto puede, sermonea al lector. Ciertos hechos van anotados exclamativamente, como « ¡santo sufragio...! » (p. 201), o el ya citado « ¡Fernando VII acaba de ocupar el trono de sus antepasados! ».

Recurso más hábil es el ocultarse tras de los personajes, haciendo que expongan ideas análogas a las del narrador. La injerencia directa puede ocasionar una reacción adversa, mientras que lo dicho por los personajes será aceptado más fácilmente. En el capítulo sexto se cuenta cómo Clara y don Narciso, los regeneradores, han arreglado la casa de la primera; doña Isabel de Orrea es invitada a cenar en la nueva casa. Cuanto entonces ocurra lo sabremos a través del diálogo entre la Asistenta y la Marquesa; con los ojos de la primera veremos lo servido, lo comido, lo bebido, y suyas serán las críticas: «Ha pintado las paredes de verdemar, y ha colgado en ellas una porción de retratos de hombres ilustres, según me dijo, en marcos de caoba. Fuilos mirando con cuidado. ¡Inés, no había ni uno español! En el testero, en lugar del cardenal, tío de su bisabuelo, hay un viejo muy feo [Voltaire] con una cara de zorra hambrienta» (pp. 68-69).

Como el lector siempre está presente y escuchando, el deseo de aleccionarlo y persuadirle es casi irresistible. El narrador hasta se permite incluirlo en sus consideraciones, asegurándole que su condición no es distinta de la de las figuras ficticias, a las que acaso se le equipara, como puede verse en el siguiente ejemplo: «Tenían éstos fundadas esperanzas en ver a los caballos sin cola, que habían apellidado ranos, puesto que ni don Narciso, ni tú, lector, aunque seas ministro, individuo de la Academia, archimillonario o el mismo tipo de la elegancia, ni nadie, escapa a las burlas y dichos de los piluelos andaluces» (p. 93). Afirmaciones como ésta dan por supuesta una cierta pasividad del lector; una tendencia a aceptar cuanto se le vaya diciendo. Presunta esa pasividad, el narrador se cree autorizado a predicar y a moralizar libremente, convirtiendo algunas páginas en alegato, como si estuviera más interesado en convencer ideológicamente que en dar a la novela la solidez necesaria.

En conclusión, la «tipicidad» de los personajes, del espacio, del tiempo, del narrador, parecen sugerir como lector más deseable al menos crítico, entregándole una novela de una sola cara, moneda trucada que podemos tirar al aire cien veces, pero que siempre al caer mostrará la misma figura. La obra apunta en un sentido; si de vez en cuando se observa una simpatía por las víctimas, ello se debe a que el narrador es cristiano y no ajeno a la piedad.

La univocidad de tendencia estudiada en los elementos integrantes de la novela es propia de un costumbrismo tendencioso por cuanto tiene de exaltación de lo tradicional. Por eso creo que al lector no le queda opción: en este mundo «caballeresco», las cosas, las creencias —no las personas— son buenas o malas, sin medias tintas, sin la ambigüedad propia de la vida. Los usos y tradiciones consagrados por el tiempo son valiosos y han de ser defendidos a cualquier precio. Vulnerarlos es un crimen, y hasta un pecado. Tal es la lección de *Elia*; por ser como es, me atrevo a resumir su carácter en dos palabras: costumbrismo moralizante.

CAPITULO II

DEL NATURALISMO AL MODERNISMO

En doña Emilia Pardo Bazán pueden distinguirse dos maneras o modos de contar, indicadas ya hace tiempo por *Andrenio:* «El momento realista o naturalista y el momento de atracción del misterio, del retorno a las moradas interiores» [1]. Las presentaré en este capítulo ejemplificando con dos novelas muy características de las dos maneras a que me refiero, aclarando desde ahora que las obras del primer período pueden llamarse «naturalistas»; las del segundo se relacionan por técnica y estilo al «modernismo».

En 1881 había aparecido *La desheredada,* de Galdós, novela que doña Emilia cita en el prólogo a *La Tribuna,* fechado en la Granja de Meirás en octubre de 1882, destacando el hecho de que en ella se habla el lenguaje de los barrios bajos, es decir, un lenguaje vivo y no idealizado, citando a Galdós y a Pereda como los «maestros» en quienes se inspiraba para buscar en el lenguaje hablado el de los personajes de su novela. *La desheredada* es probablemente la obra galdosiana en que la situación social en general y de los personajes importa más para el desarrollo de la acción, y bien puede suponerse que, aun sin tener completa conciencia de ello, la novelista incipiente fuera influida hasta cierto punto por las escenas de aquella novela. Recordado el precedente, por lo que pudiera valer, me apresuraré a decir que doña Emilia sigue con más fidelidad el camino que las de Zola (a quien también cita en el prólogo de referencia) habían abierto en Francia, hasta el punto de que es posible debatir si la calificación «novela social» puede aplicarse a *La Tribuna.*

¿Es «La Tribuna» novela social?

La novela es un mundo de ficción que el autor crea e impone, o trata de imponer, al lector como una entidad autosuficiente. Ese

[1] *Andrenio, De Gallardo a Unamuno,* Madrid, Espasa-Calpe, 1926, p. 151.

mundo novelesco no es concebible sin alguna relación entre personajes y medio; la fábula se va tejiendo gracias a las respuestas de los habitantes de ese mundo inventado a las cosas y seres que les rodean. Puede decirse que es una característica esencial del género, detectable lo mismo en el *Quijote* que en el futurista *Brave New World,* de Huxley; podrá cambiar el tipo de relaciones entre el personaje y su entorno, pero esa intercomunicación será una constante. En este sentido, la novela es eminentemente social.

Ahora bien, si queremos distinguir entre diferentes tipos de novela es necesario precisar los conceptos. Novela social, en el sentido en que se utiliza el término en este libro, no es simplemente la que presenta una sociedad en acción, sino aquélla en que el narrador tiene conciencia de una *situación conflictiva* en la sociedad, causada por la estratificación clasista y las injusticias derivadas de ella. El narrador ha de tener conciencia del antagonismo de las clases sociales; esa conciencia se proyectará en la narración de diversos modos.

El narrador, en *La Tribuna,* ve la diferencia entre las clases sociales y la tremenda injusticia: Baltasar no se puede casar con Amparo, porque ésta pertenece a una clase no admitida en la «buena» sociedad burguesa, pero sí con la ñoña Josefina García. El narrador se niega a extraer de este hecho conclusiones que claramente se imponen, limitándose a señalar lo que esa diferencia tiene de pintoresco, la pobreza en que vive la primera y el medio burgués en que la segunda se mueve. Lo individual, el «caso», acaba interesándole con mayor intensidad que el problema social. Se preocupa más por el retrato de los personajes que por el conflicto producido por el enfrentamiento de la pobreza injusta y la riqueza inmerecida. Por eso *La Tribuna* no me parece, como a Carmen Bravo Villasante, «la primera novela social» [2], sino una novela social frustrada. El autor utilizó en ella casi todos los materiales necesarios para construir lo que pudo ser una novela social, pero le faltó lo esencial: trasmutar la acción colectiva y poner a la colectividad en el primer plano, cosa que en esta obra sólo a ratos ocurre.

La obra, a mi parecer, ocupa en la historia de las letras españolas un lugar semejante al de *Juan José,* de Dicenta; ésta en el teatro, la de Pardo Bazán en la novela. En ambas se encuentran todos los elementos necesarios para componer una obra social, pero a los autores les faltó decisión o aptitudes para lograr que las diferencias sociales de los personajes determinaran la trama. Lo dicho por Francisco Ruiz Ramón a propósito de *Juan José,* bien pudiera aplicarse a *La Tribuna:* «Los representantes de las clases sociales, conflictivamente enfrentados, *representan mucho menos una clase social* que un indi-

---

[2] Carmen Bravo Villasante, *Vida y obra de Emilia Pardo Bazán,* Madrid, «Revista de Occidente», 1962, p. 103.

viduo moral»[3]. Baltasar es rico, o espera serlo, y ésta es una de las razones por las que abandona a Amparo; pero lo que destaca en su conducta es un carácter débil, cuya «temperatura moral no subía ni bajaba a dos por tres»[4] (p. 136). Por haberse quedado en la zona fronteriza, sin decidirse a plantear los problemas sociales como tales, el puesto que Dicenta y doña Emilia ocupan en la literatura es el de goznes de una puerta que aún tardará en abrirse.

El naturalismo

El profesor Pattison, en su interesante historia externa del naturalismo, ha recogido unas cuantas acepciones de esta palabra, mostrando la diversidad de resonancias que su mención puede provocar en el lector[5]. A las páginas de Pattison remito a quien desee mayor información sobre el asunto, pues mi propósito actual se concreta en definir lo que se entendió por naturalismo en la literatura del siglo XIX, definición que creo no puede darse sin pensar en la obra y en las teorías sobre la novela de Emile Zola. La revolución casi copernicana provocada por el autor de *L'Assommoir* (1877), precisamente a partir de esta novela, no es ni más ni menos que la tentativa de explicar al hombre por su fisiología más que por su psicología, o, acaso mejor, de suponer que ésta es un producto de aquélla. La idea no era nueva, pues en España, por ejemplo, la había esbozado siglos antes el Dr. Huarte de San Juan[6]; pero lo que sí fue nuevo es la aplicación sistemática del método experimental a la creación novelesca. Y esto es lo fundamental y lo característico del naturalismo, según Zola, cuyas ideas se difundieron muy pronto por España.

---

[3] Francisco Ruiz Ramón, *Historia del teatro español,* I, Madrid, Alianza Editorial, 1967, p. 427.

[4] La paginación de las citas va entre paréntesis en el texto, y las tomo de Emilia Pardo Bazán, *La Tribuna,* Madrid, Editorial Aguilar, 1956.

[5] Walter T. Pattison, *El naturalismo español,* Madrid, Editorial Gredos, 1965. Véase especialmente las pp. 9-17.

[6] «Ser el hombre mudable, verdad es que nasce de tener mucho calor, el cual levanta las figuras que están en el celebro y las hace bullir... Al revés acontece en la frialdad, que, por comprimir las figuras y dejarlas levantar, hace al hombre firme en una opinión... También la sangre, por la mucha humildad, dice Galeno que hace los hombres simples.» Doctor Huarte de San Juan, *Antología,* Madrid, Ediciones Fe, 1944, pp. 54-55.

El Padre Mauricio de Iriarte, en su libro *El doctor Huarte de San Juan* y su *Examen de ingenios* (Santander, Ediciones Jerarquía, 1939, p. 210), dice lo siguiente sobre las ideas tipológicas del sabio San Juan: «Ha trazado una tipología de ingenios con criterios modernísimos... Ha agrupado las formas totales del ser psíquico alrededor de lo que él cree que es en cada tipo su eje central: la facultad hegemónica predominante, facultad que da la pauta también del carácter. Pero siempre el tipo psíquico se constituye sobre la base del tipo somatobiológico; o, si se quiere hablar con mayor exactitud, el tipo de ingenio resulta de la confluencia de los rasgos somáticos y de los psíquicos.»

Esta difusión implicó una cierta deformación conceptual. En España se tomó por naturalismo la visión de los aspectos más sórdidos de la vida y una expresión cruda de esa sordidez [7]. Lo que en Francia era voluntad de observar la realidad, sin retroceder ante lo que en ella hay de desagradable, e incluso de repulsivo, a este lado de los Pirineos parecía complacencia en lo grosero y en lo obsceno. Tal fue la postura de Pereda y Alarcón, postura probablemente ligada, como cree Pattison [8], a su ideología conservadora y a su repulsa del positivismo filosófico que informa las tesis zolescas, y de la insistencia en explicar al hombre descartando lo sobrenatural y cuanto no pudiera ser captado por la observación.

La desheredada y *Lo prohibido* (1885), de Galdós, especialmente la última, fueron recibidas como novelas naturalistas; lo mismo ocurrió con *La Regenta,* de Leopoldo Alas, y con varias obras de la Bazán. Pero se trata siempre de un naturalismo a la española, menos doctrinal que el de Francia, aunque no ajeno a la influencia de Zola, cuyas obras habían leído los novelistas citados. Lo que ninguno intentó es seguir al maestro en los «excesos» incurridos en novelas como *Nana* y *L'Assommoir,* demasiado fuertes para el gusto del público español de entonces [9]. Habrá que esperar a Felipe Trigo para que escenas parecidas sean tratadas entre nosotros.

En el prefacio a *Un viaje de novios,* de 1881, doña Emilia comienza a plantear la «cuestión» del naturalismo, que en poco tiempo desencadenará una ruidosa polémica. Durante casi dos décadas, los partidarios y los adversarios de la nueva escuela, venida del país vecino, debatirán sin cesar. Al prefacio mencionado siguen el de *La*

---

7 Un buen ejemplo de esa distorsión se encuentra en la historia del P. Francisco Blanco García, *La literatura española en el s. XIX,* 2.ª edición, Madrid, Sáenz de Jubera, 1903, p. 535: «Podríamos considerar el naturalismo contemporáneo como conjunción de dos elementos afines: la negación pesimista en el fondo y la desnudez absoluta en las formas. Cuidado ante todo de *hacer filosofía,* y estableciendo por base el determinismo radical, la transmisión patológica, hereditaria e inconsciente del vicio, estudia la vida con la indiferencia del anatómico que analiza un cadáver, reputando como fantasmagoría y cuento pueril, indignos de figurar en el arte verdadero, que se nutre sólo de la realidad. Pese a quien pese, tales son la teoría y la práctica de Zola, por más que traten de suavizarla algunos de sus discípulos con interpretaciones benignas e infundadas. De ahí los desastrosos efectos de la novela naturalista y el inusitado favor con que la recibieron los adalides del positivismo burgués, por un lado, y, por otro, la clase proletaria, que mira en tales libros canonizados sus utopías y consagrado el culto de la materia.»

8 Pattison, *op. cit.,* p. 19.

9 «El naturalismo parecía en España, por entonces, una cosa vitanda, casi obscena; un fruto morboso de la corrupción francesa, una escuela contraria a las buenas ideas y a las buenas costumbres. Hay que considerar la estrechez mental de la época y la tendencia a formar bloques doctrinales.» Estas palabras de *Andrenio,* tomadas de su obra *De Gallardo a Unamuno* (pp. 152-53), ilustran bien nuestro punto, y sirven de contraste a las del P. Blanco García, citadas en la nota 7.

Tribuna y los artículos publicados en «La Epoca», luego reunidos en libro: *La cuestión palpitante*. Las ideas expuestas por Pardo Bazán en estos textos son las que había de mantener toda su vida. Una enumeración de esas ideas, tal y como en el prefacio a *Un viaje de novios* aparece, puede servir para analizar su contenido y determinar qué tipo de naturalismo preconizaba la autora.

Seis son, en nuestra opinión, los puntos esenciales:

1. La «novela es traslado de la vida, y lo único que el autor pone en ella es su modo peculiar de ver las cosas reales»[10] (p. 59).

2. El «discutido género francés novísimo me parece una dirección realista, pero errada y torcida en bastantes aspectos» (p. 59).

3. No «censuro la observación paciente, minuciosa, exacta, que distingue a la moderna escuela francesa; al contrario, la elogio;

[4] pero desapruebo como yerros artísticos la elección sistemática y preferente de asuntos repugnantes o desvergonzados, la prolijidad nimia y a veces cansada de las descripciones, y, más que todo, un defecto en que no sé si repararon los críticos: la perenne solemnidad y tristeza, el caño siempre torvo, la carencia de notas festivas y de gracia y soltura en el estilo y en las ideas» (p. 59).

5. Cuán «sano, verdadero y hermoso es nuestro realismo nacional» (p. 60).

6. En «arte me enamora la enseñanza indirecta que emana de la hermosura, pero aborrezco las píldoras de moral rebozadas en una capa de oro literario» (p. 61).

Queda así definido el naturalismo como realismo[11], y elogiado el amor al detalle y a la observación, pero censurada la elección de ciertos asuntos «desvergonzados», que, sin embargo, doña Emilia osaría acometer más adelante: cuando, por ejemplo, al escribir *La madre naturaleza* se atreviera a presentar un caso de incesto y hasta a explicarlo. *Un viaje de novios,* como la mayoría de sus novelas, cuaja bien en la tradición realista a que se acogía la escritora; y como las obras mejores de esa tradición se opone al didactismo; novelar para desembocar en una lección moral le parecía entonces un error. Por eso resulta extraño que un año más tarde, al prologar *La Tribuna,*

---

[10] Los números de las páginas van entre paréntesis en el texto, y las tomo de *Un viaje de novios,* Barcelona, Editorial Labor, 1971.

[11] De nuevo coincidimos con *Andrenio.* «La Pardo Bazán busca de un modo análogo el entronque de su nuevo arte de novelar [el naturalismo] en el antiguo realismo español. No es el *naturalismo,* sino el *realismo* lo que persigue», en *op. cit.,* p. 154.

admita que su propósito tuvo algo de «docente» y defienda la validez de la moraleja [12].

Estos prólogos son una especie de justificación anticipada y hecha desde fuera (por la autora, como se declara en el de *La Tribuna,* y no por el narrador) de las novedades que el lector encontrará en las novelas. Lo ha visto bien Mariano Baquero Goyanes, para quien en *Un viaje de novios* «novela y doctrina se conectaban y complementaban» [13]. La señora Pardo Bazán conocía bien las resistencias que el lector y el crítico español oponían a las tendencias innovadoras; de ahí que se anticipara a las objeciones que no dejarían de hacerle, si la consideraban incursa en pecado de naturalismo, escuela literaria que parecía traer consigo un tufillo de obscenidad.

Que *La Tribuna* no llegara a ser una toma de conciencia en profundidad de la realidad político-social española se debió a la imposibilidad de superar los condicionamientos del medio. La formación de doña Emilia en una familia de pretensiones aristocráticas y de ideología muy conservadora fue, sin duda, obstáculo considerable. Su padre, primero carlista, luego diputado progresista en las Cortes Constituyentes que siguieron a la Gloriosa, donde se distinguió como gran defensor del catolicismo (y ello le valió el título de Conde), nunca se apartó mucho de las ideas tradicionalistas [14]. La revolución de septiembre, acontecida cuando la novela empieza, le hizo salir de España, por considerarse incompatible con los principios del nuevo régimen. Doña Emilia se liberó de muchas cosas a lo largo de su vida, pero no de su conservadurismo ni de su monarquismo, aunque con los años pasara del carlismo al alfonsismo [15].

La emergencia del didactismo es, por menos previsible, acaso más clara, pues suele ir acompañada de una cierta propensión a subordinar la realidad a la enseñanza, aplicando a aquélla la presión necesaria para acomodarla al propósito. La novela tendenciosa es una realidad, pese a que tendencia y novela han de ser términos antitéticos para quien considere, como Pardo Bazán, que la novela debe

---

12 En *La Tribuna* «entra un propósito que puede llamarse docente... Al artista que sólo aspiraba a retratar el aspecto pintoresco y característico de una *capa social* se le presentó por añadidura la moraleja, y sería tan sistemático rechazarla como haberla buscado» (p. 103), dice doña EMILIA en el prólogo de la novela. Su propósito es pedagógico, sí, pero a la vez político, pues la lección ofrecida es esencialmente política.

13 MARIANO BAQUERO GOYANES, en la «Introducción» a la edición de *Un viaje de novios* utilizada en este capítulo, p. 10.

14 WALTER T. PATTISON, *Emilia Pardo Bazán* (New York, Twayne Publishers, 1971), en el capítulo III, estudia detalladamente la educación de la escritora.

15 «Era monárquica ciento por ciento, y a veces se mofaba cruelmente de las ideas democráticas y del sufragio universal, como en algunos pasajes de *Al pie de la Torre Eiffel.* El hecho es que sencillamente no creía que las masas poseían la habilidad de gobernarse», comenta ROBERT E. OSBORNE, en *Emilia Pardo Bazán: Su vida y sus obras,* México, De Andrea, 1969, pp. 46-47.

reflejar la realidad según es (ser «traslado de la vida»), produciendo una ilusión de verdad que facilite la identificación del lector con el narrador. La identificación con la tendencia dependerá de una coincidencia ideológica y es algo que, en todo caso, acontecerá fuera de la novela, aunque con pretexto de la novela.

Con que el novelista, al trasladar de la vida, ceda al narrador «su modo peculiar de ver las cosas reales» es ya suficiente para que la objetividad de la presentación quede en entredicho. Y, sin embargo, no podemos menos de aplaudir la sinceridad de doña Emilia al reconocer algo que es evidente, pero que un novelista tan grande como Flaubert se había esforzado en negar, propugnando la impersonalidad como primera virtud del novelista. Impersonalidad nunca lograda, ni siquiera por Flaubert, muy consciente, como alguna vez declaró, de que Madame Bovary era él mismo. En *La Tribuna* es perceptible el esfuerzo del narrador por describir con objetividad los acontecimientos y las personas que en ellos participan. Desde el capítulo inicial, «Barquillos», procura mantenerse fuera de la narración, no participar en ella, si no es, a lo sumo, por las inevitables sugerencias de la adjetivación y, ocasionalmente, de la imagen. En el capítulo segundo, el narrador aparece algo más en la narración, con observaciones, hipótesis y comentarios que en general contribuyen a explicar sucintamente cómo son los padres de la protagonista y el ambiente en que ésta creció, lo que permitirá ver hasta qué punto la muchacha ha sido condicionada por las circunstancias. Condicionada quizá para la pobreza y, si se quiere, hasta para ser seducida; pero no para lo que va a distinguirla de tantas otras muchachas como ella: su pasión y vocación política, que la lleva a convertirse en Tribuna del pueblo.

Guillermo de Torre pensaba que *La Tribuna* era «la primera novela que pueda calificarse sin error de naturalista», señalando como característico de este tipo de obras: «La preferencia que la autora muestra en la descripción de ambientes bajos y de personajes y escenas populares, descritos y dialogados con crudo verismo y con la extraordinaria acumulación de detalles propia del naturalismo» [16]. Este último rasgo me parece el más acusadamente naturalista y a acentuarlo concurrieron a la vez la influencia de Zola [17] y la especial

---

[16] GUILLERMO DE TORRE, «Emilia Pardo Bazán y las cuestiones del naturalismo», *Cuadernos Americanos,* n.º 2 (1960), pp. 245-246. De la misma opinión de GUILLERMO DE TORRE es OSBORNE, en *op. cit.,* donde dice: «En *La Tribuna,* por fin tenemos una verdadera novela naturalista» (p. 47).

[17] Imaginamos que párrafos como éste son los que hicieron pensar en la influencia directa de la novela zolesca: «Gran animación a la puerta, donde se había establecido un mercadillo; no faltaba el puesto de cintas, dedales, hilos, alfileres y agujas; pero lo dominante era el marisco: cestas llenas de mejillones cocidos ya, esmaltadas de negro y naranja; de erizos verdosos y cubiertos de púas; de percebes arracimados ya correosos; de argentadas sardinas, y de mil menudos frutos de mar —bocinas, lapas, almejas, calamares— que dejaban pender sus esparcidos tentáculos, como patas de arañas muertas» (p. 120).

configuración de la inteligencia de doña Emilia, de quien dice el propio De Torre que «su mente apoética, razonadora, más dada a la observación minuciosa del mundo real que a su idealización, le predisponía y orientaba en tal camino [el naturalista]» [18]. Esto, añadido a la relativa impersonalidad lograda al observar y transcribir la realidad, aproxima la novela a las creaciones del naturalismo francés, aunque la autora no piense, como pensaba Zola, que el novelista debe adoptar frente a la vida una actitud semejante a la del hombre de ciencia.

El detallismo excesivo encuentra una justificación teórica cuando se piensa que la descripción minuciosa y aun la enumeración inventarial pueden desempeñar una función estructural bien definida: la de presentar con entera objetividad un ambiente y un medio que hablan al lector por sí mismos. El narrador de *La Tribuna,* después de ir mencionando uno por uno los signos de abandono observables en el triste hogar de la protagonista, se aparta de la pura descripción para resumir por su cuenta: «En resumen: la historia de la pobreza y de la incuria narrada en prosa por una multitud de objetos feos» (p. 107).

En el prólogo a *El cisne de Vilamorta* declaró la Pardo Bazán que su propósito al escribir *La Tribuna* había sido superar la novela regional y escribir algo que mereciera llamarse simplemente *novela.* Esto quizá explica la superación del regionalismo perediano y el sacrificio de un lenguaje que pudo ser aún más pintoresco de lo que es. En el análisis de tales problemas, César Barja adopta frente a esta obra una posición que no comparto. Observando la doble corriente, política y amorosa, de *La Tribuna* dice: «Nada gana la novela con esta mezcla de aspectos, de los cuales uno, el político, deshumaniza lo que el otro, el amoroso, hubiera humanizado. Si como mujer llega a interesarnos algo Amparo, como Tribuna y como revolucionaria no nos interesa, ni poco ni mucho» [19]. Se me permitirá discrepar del citado crítico, puesto que «esta mezcla de aspectos» es, a mi juicio, el fundamento de la novela o, para decirlo con más rigor, su fundamento estructural.

Estructura

La estructura novelesca de *La Tribuna* se basa en la dialéctica política-amor, y paralelamente en el contraste pobreza-riqueza que sirve de fondo a la acción. El empeño de la protagonista por lograr un poco de justicia y un mínimo de libertad se resuelve en movi-

---

[18] Guillermo de Torre, *art. cit.,* p. 246.
[19] César Barja, *Libros y autores modernos,* Los Angeles, Campbell's Book Store, 1933, p. 314.

mientos elementales, mal dirigidos y destinados al fracaso, pero espontáneos y nobles. Puedo asentir a la afirmación del profesor Barja, cuando dice que Amparo «como mujer, como obrera y como revolucionaria es un carácter débil sin atractivo especial» [20], pero ello no ocurre por deficiencia en la concepción de la novela, sino porque la autora no supo dar al personaje la solidez que la estructura exigía. Amparo no entiende la revolución, ni sabe exponer de modo articulado y coherente su ideología, pero sus insuficiencias no perjudican la verosimilitud, ya que es más lógico verla avanzar entre titubeos y balbuceos. Quizá, como ahora trataré de exponer, el fallo más grave de la novela consiste en que los episodios novelescos no lograron trabarse en una unidad vigorosa; la mezcla no llegó a ser fusión, y los amores de Amparo y Baltasar resultan un tanto marginales y acaso no suficientemente motivados. La estructura es adecuada; no lo es la realización.

Será útil sintetizar lo esencial de la novela para ver cómo en ella se entretejen los hilos de diferente color que componen su trama: hilo negro, de la pobreza; hilo blanco, de la riqueza; hilo rojo, de la política; hilo verde, de la esperanza amorosa, que va poco a poco destiñéndose. Con hilo negro están tejidos los dos primeros capítulos, donde se describe el duro trabajo del señor Rosendo, el barquillero, padre de Amparo, la protagonista, y el ambiente familiar. Con hilo blanco y con hilo negro, alternativamente, se fijan los contrastes entre pobres y ricos, en los capítulos III al V. En el VI y desde el IX al XIII se utiliza el hilo rojo, para describir la Fábrica de Tabacos, la influencia de la «Gloriosa» sobre las trabajadoras y la progresiva politización de Amparo. Hilo de varios colores se emplea para los capítulos VII y VIII, que anticipan alguno de los posteriores: los XXIII, XXVI al XXVIII y XXX al XXXIII, en que se refieren los amores de la protagonista y su seductor, con las frágiles ilusiones de aquélla (cuyos sentimientos no son presentados de manera muy convincente), y su previsible abandono. Los capítulos XVII al XIX, XXI, XXIX y XXXIV están tejidos, otra vez, con hilo rojo, y en alguno, como el dedicado a describir el «infierno» de la Fábrica, el color sube de tono y se enciende aún más.

Es fácil ver que a la línea temática general —la que se refiere a la toma de conciencia política de Amparo— se oponen, como contrapunto, los capítulos dedicados a los amores de la muchacha con Baltasar. Capítulos más convencionales y menos vigorosos, pero acaso necesarios estructuralmente para que la figura de la protagonista resultara más aceptable. El entusiasmo y la limitada rebeldía de Amparo no parecen así tan cerrados que la nieguen a impulsos de otro orden; sobre todo al amor o pseudo-amor que la hace entregarse a

[20] *Idem.*

Baltasar, una vez que éste promete y jura casarse. La escena de la seducción (p. 175) no da idea de que la muchacha ni el joven militar vivan un momento de intensa pasión; es más, salvo en el penúltimo párrafo, ni siquiera parece que el seductor sienta con mucha fuerza la pasión del deseo [21].

La política y el erotismo no son necesariamente contrarios; si en el contexto lo son es porque el desdibujado Baltasar, además de ser un necio, es de «otra» clase; pertenece a la clase adinerada, o al menos se cree llamado a ella, e inserto, por lo tanto, en el polo estructural opuesto al de Amparo. Y observaré al pasar que doña Emilia no puede menos de ceder un tanto a la mística romántica, cuando presenta al pueblo confiado y noble, creyente en el honor, mientras al militarcillo de extracción pequeño burguesa le hace aparecer desleal e infiel a la palabra y juramento dados. (Catorce años más tarde, al escribir *Memorias de un solterón* —1896— se le ocurrirá a la Pardo Bazán la peregrina idea de obligar al seductor de Amparo a casarse con ella, bajo la presión del hijo nacido en las páginas finales de *La Tribuna*) [22].

La dialéctica de los contrastes impregna en profundidad la estructura narrativa, sirviendo para caracterizaciones un tanto sumarias, como la siguiente, en que los futuros amantes cruzan sus caminos: «El mancebo [Baltasar], con su bigote blando, su pelo rubio, su tez delicada y sanguínea, el brillo de sus galones que detenían los últimos fulgores del astro, parecía de oro; y la muchacha, morena, de rojos labios, con su pañuelo de seda carmesí, y las olas encendidas que servían de marco a su figura, semejaba hecha de fuego» (p. 120). Rubio y morena, oro y fuego; la protagonista presentada con una doble imagen alusiva a la llama, símbolo del temperamento pasional que se supone es el suyo, aunque no siempre se conduzca de acuerdo con él.

Amparo sólo da muestras de verdadera pasión cuando la política la exalta. Desde el comienzo ama la libertad de las calles, que le permite escapar de su ambiente (pobre y triste) y codearse con la gente acomodada que encuentra en los paseos y lugares céntricos. Más tarde será el afán de salir de su condición lo que la convierta en «Tribuna» y lo que le haga rechazar con tanta violencia y crueldad a Chinto. El mismo impulso la inclina a aceptar a Baltasar con la esperanza de que éste la ascienda socialmente; sólo cede cuando, recibida palabra

---

[21] Si comparamos estos pasajes con sus equivalentes en una novela en que el amor aparezca como fuerza real, violenta, irresistible, como, por ejemplo, en *Fortunata y Jacinta,* destacará mejor la falta de pasión que observamos en Baltasar y en Amparo; parece como si Baltasar sedujera a la muchacha casi por compromiso.

[22] Véanse los capítulos XXII y XXIII de *Memorias de un solterón,* en *Novelas y cuentos,* II, Madrid, Editorial Aguilar, 1957, pp. 512-514 y 516.

de casamiento, sus ilusiones la engañan. Pero cede sin verdadero amor, y al ser abandonada no es la pasión, sino el engaño lo que le duele. Desprecia a Baltasar, y este desprecio es otro aspecto que la diferencia de heroínas galdosianas, como Isidora o Fortunata. ¿Cabría imaginar a Fortunata despreciando a Juanito Santa Cruz?

En otro orden de cosas, y al referirse a la situación en la Fábrica de Tabacos, las obreras no son presentadas como un bloque, sino divididas en dos grupos: las del campo, apegadas a la tradición; las de la ciudad, afectas a la revolución. Esta oposición sitúa a Amparo en el segundo grupo y, dadas sus condiciones personales, facilita su promoción a la jefatura de las que, sin saber bien por qué, luchan o quieren luchar por la república federal. Y ha de notarse que siendo ella la encargada de leer en voz alta los periódicos, tarea que realiza con entusiasmo, las repetidas lecturas y el tono en que las hace acaban sugestionándola y convenciéndola: «Al comunicar la chispa eléctrica, Amparo se electrizaba también» (p. 123).

Los personajes

La Tribuna, como antes expliqué, no es una novela «social». El narrador se interesa más en presentar los «rasgos típicos» de ricos y de pobres que en cuestionar el conflicto e injusto orden social. Según observé, las diferencias sociales se manifiestan a nivel individual en los personajes, más que en la medula de la obra, su estructura, donde quedan reducidas a elementos de contraste.

Por tanto, es inexcusable, al estudiar esta obra, caracterizar por lo menos a los personajes principales. Estos se alinean conforme al trazado de las dos líneas integrantes de la estructura: la línea antagónica riqueza-pobreza y la dialéctica amor-política. Amparo y Baltasar son los personajes-representantes del barrio de Abajo (espacio de la pobreza) y del de Arriba (espacio de la riqueza). Junto a Amparo hallamos a los personajes de la novela, cuya vida gira en torno a la Fábrica, «el universo de la clase trabajadora...», reflejado por «primera vez en una novela española» [23]. Junto a Baltasar, los adinerados, la burguesía acomodada de Marineda.

Se ha dicho que la Fábrica de Cigarros de La Coruña «es el protagonista colectivo de la novela» [24], una especie de super-protagonista que abarca y compendia a las figuras individuales. A mi juicio, la Fábrica es el escenario adecuado para que en él se muevan las

[23] Domingo Pérez Minik, *Novelistas españoles del siglo XIX y XX,* Madrid, Editorial Guadarrama, 1957, p. 116.

[24] Carmen Bravo Villasante, *op. cit.,* p. 104; o en Pattison, *Emilia Pardo Bazán, ed. cit.,* p. 46.

obreras y para que en él se manifiesten «su mecanismo social, sus reivindicaciones, su malestar económico y su estado moral» [25].

Amparo, cuyo mote sirve de título a la novela, es presentada viviendo una vida típica de la clase social a que pertenece. Sus padres son un pobre barquillero, al que vemos morir con el bombo al hombro, y una mujer baldada por el trabajo en la Fábrica, que desde el comienzo de la obra yace en un miserable camastro y es, sin embargo, feliz, por sentirse objeto de cuidados que cuando sana nunca soñó recibir. Como en el *Lazarillo,* se comienza contando la historia de los padres, aunque en este caso no es la historia del deshonor, sino la de la pobreza; en el capítulo IV se establece el contraste entre esa pobreza y la riqueza de los Sobrado, nombre significativo, si no simbólico, de los padres de Baltasar. Cuando un grupo de niños pobres acude a la casa de éstos para pedir el aguinaldo, el narrador aprovecha la oportunidad para destacar el contraste entre aquéllos y el lugar en que se les recibe: «Lo cierto es que la viva luz de las bujías, tan propicia a la hermosura, patentizaba y descubría las fealdades de aquella tropa» (p. 114). Vistos a esa «viva luz» los estigmas del pobre resaltan más que cuando disimulados y como ocultos por el ambiente en que normalmente se les encuentra.

Amparo, como corresponde a la gente de su clase, conseguirá entrar en la Fábrica de Tabacos, gracias a una recomendación; hasta para trabajar hace falta el apoyo de los ricos (p. 116). Empezará en la parte de la Fábrica llamada el Purgatorio, y más tarde pasará a la sección conocida por el nombre de Paraíso; de todas maneras, no quedará muy lejos del Infierno (p. 148), donde caen los más desafortunados y las cigarreras que, por edad o enfermedad, no sirven para trabajar en las labores más finas. En el «Infierno de la picadura» se pierde la memoria y hasta el sentido del tiempo.

En la Fábrica, Amparo va poco a poco adquiriendo una vaga conciencia de clase; se encariña con el ambiente, y siente «la fraternidad del trabajo». Cuando se produce el alzamiento contra Isabel II y triunfa la Gloriosa, el suceso pone en ebullición a las obreras. La fiebre política se apodera de ellas y Amparo es escogida lectora del taller; sus compañeras la pagan para que, mientras ellas trabajan, lea los periódicos locales. Estas lecturas son sus «estudios históricos v políticos», y las columnas de «El Faro Salvador del Pueblo Libre» y de «El Vigilante Federal», «órgano de la democracia republicana federal-unionista» (p. 125), las fuentes en donde bebe la doctrina popular. En las cabezas de las cigarreras, las ideas de libertad, constitucionalismo, federalismo..., que por entonces alumbraron como débiles bengalas el porvenir de España, entraron sin orden ni concierto. Si muchos politicastros ni sabían lo que era federal, como satirizó

---

[25] Domingo Pérez Minik, *op. cit.,* p. 116.

Echegaray [26], menos podían llegar a saberlo las obreras, a quienes de la política no les llegaban sino las imágenes distorsionadas que reflejaba la rimbombante y vacua prosa de provincias.

Las ideas democráticas entran a medias en la cabeza de la protagonista, y acaban convirtiéndola en «personaje político». Hablar de ideas resulta seguramente excesivo, pues más que pensar lo que hace Amparo es sentir. Cuando los delegados de Cantabria llegaron a Marineda, para firmar con los republicanos de la ciudad un pacto de Unión Liberal, la joven cigarrera creyó que «se acercaba la hora de señalarse con algún hecho digno de memoria» (p. 142). Heroísmo en potencia, que nunca llegará al hecho. Un viejo senil, jefe del cotarro federal, verá en ella un símbolo del ideal: «Esta chica parece la Libertad» (p. 144), dice, y la rebautiza «Tribuna del pueblo», en una escena casi esperpéntica, que comentaré más adelante. Amparo pasa a ser Tribuna entre los vapores del alcohol y las lágrimas de un infeliz.

A la vez que Amparo se convierte en Tribuna, sus amores con Baltasar, el vástago de los Sobrado, toman un giro previsible. Mientras duren esos amores, la excitación política pasará a segundo plano y la muchacha vivirá de una ilusión, la de llegar a ser la señora de Sobrado. El ascenso social podrá lograrse así, fácil y sencillamente, como en un cuento. La nueva figura desplaza y elimina, ilusoriamente, a la que hasta entonces habíamos visto formarse; la posibilidad de cambiar de posición la describe el narrador con una imagen que se prolonga en dos largas frases: « ¡... una chica, remotísima, como las que se ven con los anteojos del teatro cogidos a la inversa, pero que iba creciendo con rapidez asombrosa, y que en la nomenclatura interior de las ilusiones se llamaba señora de Sobrado! ¡Si advirtiesen cómo esa señora, microscópica, aún vestida del color del deseo, iba avanzando, avanzando, hasta colocarse en el eminente puesto que antes ocupaba la Tribuna, que se retiraba al fondo envuelta en un manto de un rojo más pálido cada vez! » (p. 168). El desvaído color simboliza, claro está, la transformación de Amparo, muy dispuesta a olvidar su carácter de representante de la plebe y a entrar en el mundo de sus sueños. Cuando el donjuanillo la abandone, dejándola embarazada, volverá a la Fábrica, y organizará el paro de las obreras, que sólo dura hasta la llegada de las fuerzas del orden. Después de este episodio, la Tribuna deja de serlo.

El capítulo final es más bien un epílogo; páginas que siguen al

---

[26] MELCHOR FERNÁNDEZ ALMAGRO lo cita en *Historia política de la España Contemporánea,* I, Madrid, Alianza Editorial, 1968, p. 28: «¿Tú sabes lo que quiere decir República Federal y por qué le dan ese nombre?, le preguntaba un federal sevillano a otro. La contestación fue ésta: Nuestra República es la República de don Federico (Rubio, el famoso cirujano y jefe de los federales de Sevilla). Y por ello lo está diciendo: La República de don Federico es la República federal: Federico, pues federal.»

desenlace (el abandono de la protagonista) y nos informan del nacimiento del hijo de Amparo y Baltasar, coincidente con la proclamación de la República. Otra novela pudiera comenzar donde ésta acaba, cuando en la penúltima página se oye decir a la protagonista: «A ver si reúno a mi gente y quemo aquella maldita madriguera de los Sobrado» (p. 196). La novela que no se escribió hubiera sido la de la revolución triunfante [27], aunque en el grito de Amparo, más que el ánimo de hacer la revolución social, se revela el despecho por haberse malogrado sus ilusiones. Cuando exclama « ¡Justicia al pueblo! » (p. 196), lo que en realidad pide es venganza por la huida de Baltasar.

Baltasar, el pseudo-antagonista, es una figura sin relieve[28]; apenas tiene otro interés que el funcional. Desempeña su papel de seductor con poca convicción, estimulado por su amigo Borrén, sin que parezcan importarle mucho los amoríos con Amparo. Militar de profesión, su estrategia amorosa es nula y sus tácticas rudimentarias. Profesión aparte, es un señorito, un «hijo de papá», sometido en todo a la voluntad de su dominante madre, cuyas ideas respecto a su retoño no pueden ser más limitadas: casarle con una joven adinerada. Si la madre parece personaje de una pieza es porque para ella no parece existir más valor que el dinero contante y sonante, y su concentración en esta idea revela una fuerza de carácter, ciega y primitiva si se quiere, que anula la voluntad del hijo. Por ser éste débil, es de poco fiar: inseguro, vacilante, insincero, no sorprenderá al lector cuando le vea portarse deslealmente con su amante y faltar a un juramento que en contexto no es más que una fórmula intrascendente encaminada a facilitar la entrega de la muchacha.

Los padres de la protagonista, como ya sabemos, son el barquillero señor Rosendo y la ex cigarrera imposibilitada. Tiene el primero la elocuencia del silencio, viviendo en el duro trabajo de su oficio, muy bien expuesto por el narrador, que para describirlo hubo de documentarse minuciosamente, a juzgar por el vigor y la precisión con que expone el proceso de fabricación de los barquillos, faena laboriosa, cuyos resultados le enorgullecen. El señor Rosendo no estaba «mal con su oficio; nada de eso; artistas habría orgullosos de su destreza, pero tanto como él ninguno» (p. 105). Ese rasgo le sitúa aparte del proletariado de la Fábrica de Tabacos: es un artesano y no un obrero; en su pobreza no depende de un empresario y puede sentirse o creerse amo de sí mismo. Su muerte coincide con el triunfo de su hija como Tribuna popular. La paralítica es testigo de los sucesos. Cerca y lejos de ellos, la enfermedad justifica su egoísmo. Su decadencia física es presentada por el narrador como el resultado

---

[27] La que se escribió, *Memorias de un solterón,* es cosa muy distinta y apenas tiene nada que ver con *La Tribuna,* salvo lo dicho en nota anterior.
[28] OSBORNE, en *op. cit.,* lo calificará de «títere» (p. 49).

de excesos en el trabajo, y el lector, como en el caso de la decrépita Porcona, a quien Amparo encuentra en el taller de picadura de la Fábrica, verá en ella una imagen del porvenir que espera a las trabajadoras.

Consideraciones de espacio me obligan a no analizar con más detalle la función de ciertos personajes secundarios, como Chinto, el mozo aldeano, tosco pretendiente de Amparo, que contribuye a revelar el carácter impetuoso y desdeñoso de la muchacha[29], o como la señora Porreta, caracterizada sobre todo por el empleo de la muletilla, que se le convierte en apodo. Preferible me parece referirme a las cigarreras, que actúan en la novela como el coro que acompaña, subraya, aplaude o censura los actos «políticos» de la protagonista: ellas la eligen lectora, o sea, adoctrinadora; ellas se entusiasman y se dejan contagiar de su ardor republicano, y aunque la dejan sola cuando la tropa llega a someterlas, no por eso dejan de compartir su republicanismo. El momento en que la abandonan al saber que se acercan los soldados parece que va a ser una duplicación, en lo político, de lo ocurrido en lo amoroso; ciertamente hay abandono y nueva decepción, pero al final de la novela, cuando la Tribuna llora silenciosamente con su hijito en brazos, se oyen fuera las pisadas de las cigarreras y «del pelotón más resuelto y numeroso, que tal vez se componía de veinte o treinta mujeres juntas, salieron algunas voces gritando: " ¡Viva la República federal! "». Este grito, última línea de la novela, es en contexto una esperanza, una apertura hacia el futuro, y quizá la insinuación de que el coro tomará en sus manos la tarea iniciada por Amparo. Si el coro se adelantara y ocupase el primer plano del escenario, la novela que registrara ese cambio sí que sería una «novela social».

El narrador

Hablando Flaubert de su famosa *Madame Bovary* decía que en ella «no hay nada tomado de la vida. Es una historia completamente inventada. Yo no he puesto en ella ninguno de mis sentimientos ni de mis experiencias. El espejismo [*illusion*] (si alguno hay) viene, por el contrario, de la *impersonalidad* de la obra. Uno de mis principios es que *el autor no debe aparecer en la obra*»[30]. Emile Zola, por otra parte, en *Le Roman expérimental,* escribió: «Hay que recalcar por encima de todo la *impersonal naturaleza del método*»[31] que ha de

[29] Para ella, Chinto representa, a pesar de su honradez y buena voluntad, la imposibilidad de trascender su clase social. Es el mismo caso de Isidora con Juan Boy en *La desheredada.*

[30] La traducción y el subrayado son míos. Cito de la antología editada por George J. Becker, *Documents of Modern Literary Realism, ed. cit.,* p. 9.

[31] *Ibid.,* p. 188.

seguirse para escribir una novela. Tanto el uno como el otro insisten en la exigencia de impersonalidad en el autor, o, en otras palabras, en la de una objetividad que sea consecuencia natural de la posición serena, calma y un tanto distante del narrador. El ideal defendido por ambos novelistas es que del autor y de sus emisarios no debe quedar rastro en la novela, para que así los sucesos parezcan desarrollarse sin intervención exterior, impulsados por la fuerza de los sucesos mismos. Pero es el caso que tal ideal parece irrealizable y el propio Flaubert declaró, en otra ocasión, que su personaje, Madame Bovary, era él mismo, con lo que se desdecía de lo afirmado anteriormente. La contradicción puede explicarse como resultado de la casi inevitable divergencia entre la teoría y la práctica. En principio, el realismo flaubertiano y el naturalismo zolesco coinciden en que el narrador debe permanecer neutral ante los acontecimientos y frente a los personajes.

La Tribuna ha sido calificada, en la mayoría de los libros y artículos críticos que de ella se ocupan, de «verdadera novela naturalista» [32]. Sin embargo, si pensamos en la perspectiva desde la cual está narrada y comparamos el método narrativo con el preconizado por los naturalistas, advertiremos que el narrador de esta obra está más cerca del narrador-cronista [33], característico del realismo galdosiano y balzaciano, que del impersonal narrador del naturalismo teórico. No sólo en esta novela, sino en el resto de su obra, doña Emilia Pardo Bazán utiliza un tipo de narrador omnisciente que con frecuencia se interfiere en la acción, la comenta a su modo, moraliza más o menos extemporáneamente y, en suma, se afana por sugerir al lector lo que debe pensar de la acción y de los personajes. Ello ocurre en novelas tan «naturalistas» como *Los pazos de Ulloa* y *La madre naturaleza.*

No hallaremos en *La Tribuna* el tipo de narrador que, si no participa en la acción, es al menos un ser definido, con una posición clara dentro de la novela, como veremos que lo será el de *Tormento,* amigo de don Francisco Bringas [34] y muy interesado en cuanto acontece. Sí, en cambio, detectaremos su presencia de página en página y no tardaremos en comprobar que pertenece a la especie de los omniscientes, lo que le permitirá aleccionar al lector no sólo sobre peripecia y personaje, sino sobre las razones que explican por qué una y otro son como son. Citaré un primer ejemplo, elemental, en el que se aclara que los vagabundeos de Amparo responden al abandono en que ha crecido: «De estos instintos nómadas tendría bastante culpa

---

[32] Walter T. Pattison, *Emilia Pardo Bazán*, p. 45.

[33] Sobre el narrador-cronista en Galdós remito al «Prólogo», de Ricardo Gullón, a *La de Bringas,* de Benito Pérez Galdós, New Jersey, Prentice Hall, 1967, pp. 18-19; v. también el artículo de Mariano Baquero Goyanes, «Cervantes, Balzac y la voz del narrador», *Atlántida,* I, n.º 6 (1963).

[34] Benito Pérez Galdós, *Tormento,* Madrid, Alianza Editorial, 1968, p. 15.

la vida que forzosamente hizo la chiquilla mientras su madre asistía a la Fábrica» (p. 107). En el presente narrativo, la madre está enferma en cama; luego, al hablar del abandono como consecuencia del trabajo, el narrador se remonta a un pasado del que pronto se informa al lector. Característica del narrador omnisciente es que su saber traspasa las fronteras, todas las fronteras, incluso las del tiempo: el presente resulta ser un futuro en que las cosas han cambiado, según se advierte cuando leemos frases como ésta: «No tenía entonces Marineda el parque inglés que, andando el tiempo, hermoseó su recinto.» No sólo el «antes» de la novela, sino el «después». El tiempo del narrador es como el de Dios, vasto e inclusivo; en una página, en unas líneas, puede pasar del ayer al mañana, retroceder o adelantar o estarse quieto, manipulando a su antojo los problemas de la temporalidad.

En el discurso narrativo se insertan, a veces, comentarios que no hay que tomar como opiniones del narrador, pues son consecuencia de utilizar el estilo indirecto libre, forma de discurso que expresa los sentimientos del personaje, sin atribuírselos directamente. Procedimiento muy en boga en aquella época, pero que la Pardo Bazán empleó aquí con moderación. Cuando se dice de Amparo niña: «Sola en casa con su padre, apenas éste salía, ella lo imitaba, por no quedarse metida entre cuatro paredes; ¡vaya!, y que no eran tan alegres como para que nadie se embelesase mirándolas» (p. 107). Desde el « ¡vaya! », inequívocamente conversacional, el narrador no tanto expone sus sentimientos, como los de Amparo. La diferencia entre este tipo de discurso y el puramente descriptivo que a continuación encontraremos, no ofrece dudas: en adjetivación y en imagen, el narrador se hace presente: «La cocina, oscura y angosta, parecía una espelunca, y encima del fogón relucían siniestramente las últimas brasas de la moribunda hoguera. En el patín [...] un innoble zapato que se reía a carcajadas» (p. 107). La «espelunca» y el zapato que ríe no corresponden a percepciones del personaje, sino a las del narrador.

Otro ejemplo de utilización del estilo indirecto libre se halla en un pasaje del capítulo dedicado a explorar las ilusiones de Amparo: «A cada pitillo que enrollaba, al suave crujido del papel, una cándida esperanza surgía en su corazón. Cuando ella fuese señora no había de portarse como otras altaneras, que estuvieron allí liando cigarros lo mismo que ella, y ahora, porque arrastraban seda, miraban por cima del hombro a sus amigas de ayer. ¡Quiá! Ella las saludaría en la calle, cuando las viese, con afabilidad suma. Por lo que hace a recibirlas de visita..., eso según y conforme dispusiese su marido; pero ¿qué trabajo cuesta un saludo?» (p. 177). La variación tonal está marcada claramente en el discurso. La primera frase corresponde a la observación del narrador, siendo subrayada su presencia por dos adjetivos que caracterizan y acompasan lo exterior y lo interior: «suave crujido» y «cándida esperanza». En el resto del párrafo se transfiere el discurso al personaje y se nos descubren sus pensamientos desde el personaje mismo. Otra vez la locución familiar, conversacional: « ¡Quiá! », en este caso funciona como elemento identificador de la voz que se percibe en el discurso en estas líneas, tan reveladoramente significativas de la persona.

Las intromisiones del narrador son frecuentes y de diferente tipo. Puede interrumpir el discurso y en dos líneas sustituir la relación de los sucesos por una referencia al paso del tiempo, que ya vimos con cuánta facilidad podía manipular. El capítulo IV empieza así: «Se ha mudado la decoración; ha pasado casi un año; corre el mes de enero» (p. 112). La estructura misma de la frase revela no sólo el propósito de resumir, sino de mostrar en su sucesivo esquematismo la aceleración de la fábula; tres oraciones acumuladas en tan breve frase expresan en su concentrado dinamismo la elemental necesidad de acortar, para eliminar lo superfluo. Lejos de reprochar a la autora este tipo de libertades, que acaso no se permitiría hoy un novelista contemporáneo, creo que desde el punto de vista del lector tales abreviaturas resultan lícitas y en muchas ocasiones son agradecidas por él, como muy bien dijo *Azorín* [35].

Otras veces, el narrador se deja ver opinando por su cuenta al hilo del discurso, generalizando, por ejemplo, para aducir lo referido como lección de aprovechamiento general: «Amparo había ido a la escuela en sus primeros años..., sucediéndole lo que a la mayor parte de las niñas pobres, que al poco tiempo se cansan sus padres de enviarlas y ellas de asistir, y se quedan sin más aprendizaje que la lectura, cuando son listas, y unos rudimentos de escritura» (p. 107). No hay en la novela nada que permita hacer esta observación, que, como es lógico, está basada en hechos de la vida; de su experiencia extra-novelesca la extrajo el narrador para proyectarla en la narración y añadir a ella una constatación que el lector dará automáticamente por buena.

En *La Tribuna,* el narrador no interpela al lector abiertamente como hace el de *La sombra* o el de las ficciones de Alarcón; de manera más sutil, y, por tanto, más difícil de detectar, le incorpora a la novela, haciéndole participar de sus opiniones y observaciones, sin más que exponerlas en un plural generalizador: «Sucede con la mujer lo que con las plantas. Mientras dura el invierno todas nos parecen iguales» (p. 121). Tras ese «nos», el que narra se encoge, no tanto para ocultarse y pasar desapercibido, como para dejar espacio al lector, invitándole a aceptar como propia la observación. En otras

[35] *Azorín,* «La eliminación», del libro *Valencia,* en *Tiempo y paisaje, visión de España,* Madrid, Ediciones Cultura Hispánica, 1968, p. 171.

ocasiones, la incorporación del lector a la novela se procura con una pregunta retórica y una respuesta que nada contesta, aunque útiles para sugerir que el invisible agente siente que la cuestión se le plantea a él mismo: «Nada, que la unitaria no servía; tan sólo la federal brindaba al pueblo la beatitud perfecta. ¿Y por qué así? ¡Vaya usted a saber! » (p. 123). A nadie sino al lector, único que puede oírla, se dirigen la pregunta y la respuesta, o la pseudo-respuesta, pues, en realidad, no se trata sino de una frase hecha.

Al estudiar *Elia,* de *Fernán Caballero,* vimos cómo el narrador no tenía reparo en endilgar al lector, bien una receta, bien un cuentecillo, y hasta un sermón sobre las excelencias del oscurantismo, interrumpiendo con tales interpolaciones el desarrollo de la fábula. En el ejemplo que acabamos de citar, el narrador da también un corte para hacernos saber que no encuentra explicable la preferencia de las cigarreras por la república federal. La diferencia entre *Fernán Caballero* y doña Emilia es que aquélla no se habría contentado con menos de aprovechar la ocasión para hacer alguna propaganda de sus ideas.

El narrador de *La Tribuna* incurre de vez en cuando en la típica enumeración naturalista. Baquero Goyanes ha denominado «bodegón literario» [36] a esta técnica, que tiende a lograr una imagen por acumulación y superposición más bien que por genuina descripción. Algunos de los «bodegones» de doña Emilia aspiran a ser tan fieles a la realidad como una fotografía. No hay, en realidad, montaje, sino una simple mención enumerativa de los objetos enfocados por el ojo de la cámara [37]. Ejemplo muy expresivo de esa técnica es el siguiente, tomado de la descripción de una comida en casa de los Sobrado: «Sucediéronse, plato tras plato, los cebados capones, manidos y con amarilla grasa; el pavo relleno; el jamón en dulce, con costra de azúcar tostado; las natillas, los arabescos de canela, y la tarta, el indispensable ramillete de los días de días, con sus cimientos de almendra, sus torres de piñonate, sus cresterías de caramelo y su angelote de almidón ejecutando una pirueta con las alas tendidas» (p. 112). Modos narrativos análogos se encuentran en Galdós, aficionado también al detallismo gastronómico. Y en él (*Fortunata y Jacinta,* por ejemplo) cosas así tampoco pueden pensarse escritas por la pura complacencia de contarlas, sino que sirven para exponer de

36 MARIANO BAQUERO GOYANES, *Introducción cit.,* p. 30.

37 GYÖRGY LUKÁCS ha señalado que el realismo, con su selección de los detalles significativos, lleva en este momento ventaja: «The hallmark of the great realist masterpiece is precisely that its intensive totality of *essential* factors does not require, does not even tolerate, a meticulously accurate or pedantically encyclopedic inclusion of all the threads making up the social tangle.» De *Studies in European Realism,* New York, The Universal Library, 1964, p. 148.

modo terminante la posición social de quienes se festejan con alimentos y manjares como los recién enumerados.

Según es bien sabido, el narrador naturalista es fundamentalmente visual y se complace en detallar las características anatómicas y fisiológicas de los personajes. ¿Como modo de manifestar que son lo verdaderamente distintivo de la personalidad? ¿Como reacción contra el psicologismo minucioso a lo Stendhal? La respuesta afirmativa a las dos preguntas es posible y admisible. Sin ir más allá de registrar el hecho y su frecuencia, diré ahora que el narrador de *La Tribuna* es adicto a esa técnica, que me parece inspirada en las pretensiones a la objetividad de que antes hablé. Veamos cómo se pinta a Chinto, el mozancón enamorado de Amparo: «Le sobresalía la nuez, y bajo la grosera camisa se pronunciaban los omóplatos y el cúbito. Su tez tenía matices de cera, y a trechos manchas hepáticas; sus ojos parecían pálidos y grandes con relación a su cara enflaquecida» (p. 150). Eliminado de la descripción cuanto no se relaciona con la presencia física del personaje, pero el lector advertido no dejará de deducir que algunos cambios morales se habían producido en quien tanto se aleja en la apariencia del campesino a quien conociera en páginas anteriores de la novela.

Esfuerzos así, por alcanzar un máximo de objetividad, no pueden ir muy lejos. Como ha demostrado Wayne C. Booth [38], siempre es posible detectar la presencia del autor en la novela, y doña Emilia, que no ignoraba esta ley literaria, la prueba al señalar en el prólogo a *La Tribuna* que la novela tenía moraleja, aun cuando no se la hubiera buscado de propósito. Y no parece que objetividad y moraleja sean compatibles.

El esperpento en germen

Aún me parece que es posible advertir en la estructura de *La Tribuna* gérmenes o barruntos de otro modo de insertar el narrador en la narración. Esta inserción o injerencia, incluso si no se revela más que en el tono, es suficiente para oponerse a la objetividad a que acabo de referirme. Al ceder a la tentación deformante, la autora impone la presencia de un narrador que juzga, además de contar, y que proyecta la ironía de su juicio en adjetivación y en imagen. Perdida la neutralidad, señalará lo que de grotesco puede haber en las situaciones, haciendo uso de técnicas narrativas que desde hace mucho han atraído a los escritores de nuestra lengua.

La unión de lo trágico y lo grotesco, esencia del esperpento, es una constante del arte español, desde Quevedo, pasando por Goya,

---

[38] Wayne C. Booth, *op. cit.*, pp. 271-398.

hasta Valle-Inclán, su más sistemático cultivador, quien llegó incluso a intentar convertir «lo grotesco en un género», como han indicado los profesores Cardona y Zahareas [39]. En años recientes no ha faltado quien encuentre en Unamuno y Galdós novelas o, al menos, escenas que pudieran calificarse de esperpénticas. Entre los críticos de la Pardo Bazán, únicamente Carmen Bravo Villasante ha calificado alguna de sus obras de esperpéntica [40], sin recordar ciertas páginas de *Los pazos de Ulloa,* que, a mi juicio, se acercan a lo que bajo ese concepto ha venido agrupándose. Ciñéndome a *La Tribuna,* creo que en ella se encuentran rasgos que más tienen de esperpénticos que de satíricos [41]. Y esos rasgos son significativos, porque surgen en el momento en que la protagonista de la novela asciende de vulgar hija del pueblo a Tribuna del mismo pueblo del que procede.

Una escena, entre todas, me parece reflejar lo que pudieran calificarse de brotes esperpénticos; aunque en pocas palabras, analizaré esa escena. En opinión de Borrén, el amigo de Baltasar, «España se va volviendo un manicomio» (p. 138), y, siendo así, es lógico que quienes vivan en ella sean delirantes de uno u otro tipo. Si en tal espacio se produce una revolución, siquiera sea tan poco revolucionaria como la española del 68, las condiciones necesarias para la distorsión expresionista (que está en la raíz del esperpento) se verán inmediatamente exaltadas.

Derrocada Isabel II del trono y expulsada de la patria, la turbamulta política se manifiesta en la multiplicidad y disonancia de las voces que se dejan oír en el escenario nacional (lo que mucho después Valle-Inclán titularía «el ruedo ibérico»); no son las menos enérgicas las de los partidarios de la república federal. Ya vimos a las cigarreras, y a Amparo al frente de ellas, figurar entre los entusiastas de esta forma de gobierno. Aunque el narrador prefiera callar las razones de esa preferencia, el lector informado de la historia del período sabrá que los federales y su jefe, don Francisco Pi y Margall, estaban más cerca de las reivindicaciones populares que los miembros de los demás partidos políticos.

En el capítulo XVIII, mediada la novela, en donde Amparo llega a la plenitud de su fugaz carrera política, se ofrece un banquete a los delegados de Cantabria, llegados a Marineda para firmar un pacto de unión con los republicanos locales; al describir esa escena, lo grotesco alcanza una culminación, cuyo contrapeso trágico lo

---

39 RODOLFO CARDONA y ANTHONY ZAHAREAS, *Visión del esperpento,* Madrid, Editorial Castalia, 1970, p. 11.

40 CARMEN BRAVO VILLASANTE encuentra el esperpentismo en «Belcebú». Véase la *op. cit.,* p. 282.

41 EMILIO GONZÁLEZ LÓPEZ, en *Emilia Pardo Bazán: Novelista de Galicia* (New York, Hispanic Institute, 1944), ya señala la «sátira mordaz contra los jefecillos revolucionarios» (p. 161).

ofrece la situación de España. ¿Quiénes son los llamados a sacarla del caos en que se encuentra? Un viejo de barba blanca, cuya nobleza de figura se califica de «teatral», y un orador «de tenebrosa faz» (p. 143). Se llama «patriarca» al primero, pero ya sabemos que tal condición será cosa de comedia o de tragedia, si se piensa en el país. La discusión es vacua palabrería, confusión total.

Y es en esa confusión donde penetra Amparo con un ramo de flores artificiales, que es calificado de «exvoto», y suelta una perorata que acaba en el abrazo que le da el patriarca, a la vez que la proclama «Tribuna del pueblo». Más adelante veremos que el patriarca es «un viejo chocho» (p. 145); que los políticos están promoviendo «el desbarajuste universal» (p. 145), y que el orador tenebroso es una «ecuación entre la lógica y el absurdo» (p. 145). Volviendo a lo sugerido por Cardona y Zahareas, si «lo grotesco manifiest[a] un serio compromiso con el problema nacional»[42], aquí se cumple esta condición, pues el delirio del capítulo dedicado a la firma de la unión es a la vez un espectáculo risible y «un episodio interesante del drama político español» (p. 145).

Me parece, en consecuencia, que *La Tribuna,* por estas escenas, debe ser considerada una de las obras que en alguna medida figure entre las representativas de esa constante del arte español que ha venido a llamarse esperpéntica, basada fundamentalmente en la presentación distorsionada de la realidad histórica. Creo también que esta variación de la tonalidad narrativa da a las páginas centrales de la novela una vivacidad y una modernidad que sin ellas no tendrían.

Lo que hemos de preguntarnos es por qué fueron precisamente esas páginas las escogidas para desplegar, siquiera en forma embrionaria, la técnica de lo que hoy llamamos esperpento. A modo de hipótesis, me atrevería a sugerir que en ellas hay una especie de juego de anticipación profética de lo que había de ser la república federal y la suerte de la «Tribuna del pueblo», y esta valoración retrospectiva, hecha en 1882, les permite al narrador y al autor asociar la bufonada a la tragedia histórica. Partiendo de esta creencia (de esta penetración que se beneficia del conocimiento de hechos ocurridos con posterioridad a la cronología de la novela), la estructura narrativa se complica y enriquece con una presentación distorsionada de los hechos, que bien pudieron haber sido vistos desde la misma perspectiva neutral que los episodios anteriores.

[42] Rodolfo Cardona y Anthony Zahareas, *op. cit.*, p. 13.

El narrador en «La sirena negra»

El narrador de *La sirena negra* (1908) es a la vez su protagonista. Contada en primera persona, la narración consiste en una exploración de la conciencia y la subconsciencia del personaje, que desde el primer capítulo hará constar su dificultad de comunicar con los demás y se lanzará a un minucioso y complaciente análisis de sus sentimientos. Quiso Emilia Pardo Bazán escribir una novela «psicológica», género hoy poco acreditado en el favor de los críticos, pero que conserva el de muchos lectores, y para dar al relato la mayor verosimilitud se esforzó en eliminar de la narración al autor, a quien todo lo más puede atribuirse la selección del título, tan de época, aunque advirtiendo que fue extraído de la versión y de la dicción del personaje.

Creo que en esta novela se ha conseguido realmente separar autor y narrador, haciendo que los personajes, la trama y el modo narrativo correspondan al carácter y a las fantasías del protagonista, sin que ni en la exposición ni en el tono se trasluzcan los de doña Emilia. El método seguido para lograrlo es sencillo y su eficacia depende de la coherencia y la continuidad con que es aplicado. Consiste en mostrar situaciones, personajes y figuras a través de una perspectiva que es un estado de ánimo, el del protagonista.

Sin intentar un análisis completo del texto, que alargaría demasiado este capítulo, será posible comprobar la congruencia en la presentación de los hechos; congruencia tan extremada que si algo falta es un poco de sutileza y de la natural inconsistencia (contradicciones) propias del carácter, de todo carácter. Pues el del narrador es de una pieza, al menos en las cuatro quintas partes de la novela, y sólo en la parte final empezará a humanizarse, a contradecirse y a manifestar la posibilidad de un cambio. Quizá pudiéramos decir que ese lento proceso de transformación espiritual es el tema de la obra.

Centro de conciencia único, el narrador-protagonista ofrece una versión personal de cuanto le rodea. Si la novela es creación de un mundo, el de *La sirena negra* es verdaderamente *su* mundo. En el primer capítulo dice que la novela no le «ofrece sino impresiones 'de color sombrío', como las palabras leídas por el Dante sobre el dintel de las puertas del infierno», y añade que no sabe él colocarse en «un punto de vista gayo y saltarín» [43] (p. 873). Ciertamente no sabe, y por eso todo se teñirá del «color sombrío» que está en su mirada, en el cristal o velo transparente a través del cual contempla la vida.

---

[43] Cito de nuevo por *O. C.* (II).

Unos cuantos ejemplos serán suficientes para probarlo: en ese mismo capítulo, el narrador observa lo «misterioso» de la novela, y la similitud entre quienes duermen y quienes están muertos: «¿No es cada alcoba, cerrada y tibia, una antesala del sepulcro?» (p. 874), se pregunta. Y la paz «letal» de la noche le parece deliciosa. Sentimientos nocturnos que no se relacionan ciertamente con la realidad novelesca, única que aquí ha de tenerse en cuenta, con el borracho herido, o los noctámbulos que asistieron al estreno de una obrilla intrascendente, o los madrugadores que visitan la iglesia. Si ve la noche como anticipación de la muerte es por sentir nostalgia de ésta, «sed de la nada», según él mismo escribe.

Y esto sentado, queda sugerido que el narrador vive en una cierta marginalidad en la vida, pero viviendo y cultivando sus obsesiones que le encierran; si no le aislan de quienes le rodean, por lo menos le impiden juzgarlos en sus propios términos. Su encuentro con Rita y el modo como la presenta merece ser recordado, porque a través de la presentación más vemos al presentante que al presentado: «Para dar idea del tipo de esta mujer sería preciso evocar las histéricas de Goya, de palidez fosforescente, de pelo enfoscado en erizón, de pupilas como lagos de asfalto, donde duerme la tempestad romántica» (p. 876). Y, poco después, la incluirá entre las filas de los «neuróticos». Histérica, romántica y neurótica, pronto lo advertirá el lector, son adjetivos que no cuadran bien a la figura de que se habla, que mejor sería caracterizar objetivamente como una mujer pobre, gravemente enferma y muy desgraciada. Pero el narrador no aspira a la objetividad, ni caso de que aspirara podría lograrla, pues él es quien realmente parece histérico, romántico y neurótico, como la novela prueba. Su nocturnismo es de raíz romántica, y romántico por herencia de su padre se declara (p. 879); sus decisiones arrebatadas manifiestan un fondo histérico, y su obsesión con la muerte, su jugueteo con las ideas del suicidio y del homicidio son síntomas de una neurosis.

Cuando en el teatro vea a Rita interesada en la acción que se representa, no se contentará con registrar ese interés, sino que describirá su alma transmigrando al cuerpo de la actriz, con exageración estilística notable. Lo que dice entonces, como lo observado al referirnos a la presentación de la enferma, está cargado de opinión personal, sugerido por una visión deformante. El simple acto de que ella coma con gusto unas tabletas de chocolate le induce a una reflexión intempestiva sobre «el arcano» que oculta la cabeza de la enferma y sobre su espíritu «que de noche vaga perdido entre las tinieblas del Mundo y del Mal». Es evidente que el temor a la muerte de una tuberculosa gravemente afectada por su mal es un fenómeno muy comprobable que al ser exagerado en la forma que el narrador lo hace, atrae la atención del lector más hacia el modo cargado de subjetividad con que cuenta que al hecho del que se deriva la mencionada conclusión.

En el capítulo VIII comprobaremos que frente al paisaje la actitud del narrador es la misma que frente al personaje. Allí se establece directamente la ecuación paisaje-estado de ánimo y extrayendo de ella las naturales consecuencias se describe aquél como una proyección de éste: «No hay nada que así se avenga con ciertos estados de desolación del espíritu, como una puesta de sol, sobre todo en un paisaje pensativo y penetrado de insinuante melancolía» (p. 896). El narrador, claro está, es quien piensa y quien siente melancolía o cualquier otra cosa; se ha dicho mil veces que árboles, olas, crepúsculos y amaneceres son en sí inertes, pero tan dóciles que quien los contempla puede revestirlos de las ideas o los sentimientos que la contemplación le sugiera.

Lo que sigue es todavía más expresivo: «Era una puesta de sol de remordimiento, de sudor, los troncos de los árboles, ya semidespojados por el otoño, alzaban su ramaje en actitud de implorar perdón o auxilio... Hubiese yo jurado que, desde la planicie lánguida, sesga [del río], de letal dulzura, alguien me miraba, y que un filtro de deleite supremo corría por mis venas yertas antes» (p. 897). Aquí el narrador mezcla en la imagen su visión y su yo, puesta de sol y de conciencia, y los árboles humanizados, son como intérpretes de lo que él está experimentando en esos momentos. Ve en el agua la muerte, las pupilas de la mujer muerta, y allí están, pero porque la mirada las pone. Este pasaje es acaso el más revelador de la inclinación del narrador a ponerse en la narración, en una narración afectada por sus sueños y sus deseos, pues si acaba en catástrofe, con la muerte del hijo adoptivo y el suicidio de Solís, es porque de alguna manera oscura y torcida el narrador-personaje ha ido llevándonos a una situación en que tal desenlace resulta lógico.

Pocas veces en la novela española del siglo XIX se logró un ajuste más completo entre narrador y narración, y de ahí que esta novela nos parezca ser, entre las de doña Emilia, la que mejor representa su voluntad constante de estar al día, de utilizar las técnicas más apropiadas para escribir el tipo de novela que en cada caso quería escribir [44]. Los «ismos» no deben impedirnos ver tras la mujer curiosa por todo fenómeno literario, su verdadero valor de novelista, de artífice de la ficción, de creadora de mundos por los cuales el lector puede transitar con soltura y sin obstáculos.

---

[44] O, como dijo GÓMEZ BAQUERO, en *op. cit.*, «sus principales maneras se equilibran en la perfección y en la eficiencia artística. No son estaciones ascendentes o descendentes, sino cambios de horizonte» (p. 151).

CAPITULO III

EL AUTOR COMO NARRADOR

SINGULARIDAD DE LA OBRA

Al hablar de *Pedro Sánchez* (1883), de José María de Pereda, es casi obligado comenzar con una cita de doña Emilia Pardo Bazán, tomada de *La cuestión palpitante*; así lo hicieron en su día José María de Cossío [1], Ricardo Gullón [2] y José F. Montesinos [3], entre otros:

> Puédese comparar el talento de Pereda a un huerto hermoso, bien regado, bien cultivado, oreado por aromáticas y salubres auras campestres, pero de limitados horizontes: me daré prisa a explicar esto de los horizontes, no sea que alguien lo entienda de un modo ofensivo para el simpático escritor. No sé si con deliberado propósito o porque a ello le obliga el residir donde reside, Pereda se concreta a describir y narrar tipos y costumbres santanderinos, encerrándose así en breve círculo de asuntos y personajes. Descuella como pintor de un país determinado, como poeta bucólico de una campiña siempre igual, y jamás intentó estudiar a fondo los medios civilizados, la vida moderna en las grandes capitales, vida que le es antipática y de la cual abomina; por eso cumple declarar que si desde el huerto de Pereda no se descubre extenso panorama, en cambio, el sitio es de lo más ameno, fértil y deleitable que se conoce [4].

Lo del huerto, como dice Montesinos, no dejaría de tomarlo «a pechos» [5] don José María. Evidentemente, La Montaña, sus habitantes

---

[1] JOSÉ MARÍA DE COSSÍO, *La obra literaria de Pereda. Su historia y su crítica,* Santander, Imprenta J. Martínez, 1934, p. 203.

[2] RICARDO GULLÓN, *Vida de Pereda,* Madrid, Editora Nacional, 1945, p. 147.

[3] JOSÉ F. MONTESINOS, *Pereda o la novela idilio,* México, El Colegio de México, 1961.

[4] EMILIA PARDO BAZÁN, *La cuestión palpitante,* Salamanca, Editorial Anaya, 1970, pp. 173-174.

[5] JOSÉ F. MONTESINOS, *op. cit.,* p. 137.

y costumbres son la materia prima empleada por Pereda para elaborar sus obras, con anterioridad a la aparición de *La cuestión...*, y de ahí la justificación de lo dicho por doña Emilia, pero, visto desde otro punto de vista, el reproche, a nuestro entender, es injusto; al emitir juicio la escritora atiende únicamente a los materiales utilizados en la composición de la novela, descontando la transformación que por fuerza han de experimentar al ser incorporados a la obra de arte, bien sea novela, bien sea cuadro o escultura. Sea como fuere, el resultado es que lo del «huerto» picó a Pereda, y decidió demostrar que era capaz de escribir otra clase de novelas, más parecidas a las llamadas por Galdós «contemporáneas»; así lo hizo en *Pedro Sánchez.* El escenario será ahora, en gran parte, Madrid, la Corte, con su mundillo literario, sus tejemanejes políticos y administrativos; los personajes, el cesante, el estudiante, el político sin escrúpulos, el periodista; en resumen, la fauna típica de la sociedad urbana del siglo XIX. Y claro está que la novela había de resultar, como resultó, distinta de las escritas por Pereda antes y después, con la única excepción de *La Montálvez*[6].

Si contemplamos el vasto panorama de la novela española en la segunda mitad del siglo, observaremos que *Pedro Sánchez* destaca en ella, entre otras cosas, por la singularidad de su forma narrativa. La novela está escrita en forma autobiográfica, como las memorias de una vida, la de Pedro Sánchez. Tal modo de contar no era el más frecuente en aquella época, empeñada, al menos idealmente, en lograr la objetividad en el arte, el reflejo objetivo de la realidad en la ficción. Pereda recurrió a esta forma en *Peñas Arriba* y, parcialmente, en *La Montálvez.* Hubo otras excepciones a la regla, y la más ilustre es probablemente la establecida por Galdós en *El amigo Manso,* semilla del género nivolesco[7]. Valera en *Pepita Jiménez* y el mismo Galdós en *La estafeta romántica* y en *La incógnita* se apartaron de algún modo de la aspiración objetivista utilizando la correspondencia epistolar como sustituto de la narración.

Escribir en primera persona es modo que impone la subjetivación de lo contado, pues lo que se refiere sólo es conocido por el lector a través de las impresiones experimentadas por el narrador. Las limitaciones, prejuicios y condicionamientos de éste no podían sino manifestarse en la narración, aminorando (al menos en teoría) la sensación de realidad que ésta produce. Por eso me parece algo chocante que

---

[6] JOSÉ MARÍA DE COSSÍO, *op. cit.*, pp. 302-304: «El mismo Pereda, y con ocasión de la polémica sostenida con la propia Pardo Bazán a raíz de la publicación de *Nubes de Estío,* confesaba: 'Sin esos chicos me hubiera yo ahorrado el trabajo de escribir, por probar de todo, *Pedro Sánchez* y *La Montálvez.*'»

[7] RICARDO GULLÓN ha estudiado muy bien esta novela, a la que llama «nivola galdosiana» en uno de los capítulos de su libro *Técnicas de Galdós,* Madrid, Editorial Taurus, 1970, pp. 59-102.

sea un realista tan empecinado como Pereda quien haya optado en este caso por una presentación subjetiva de la realidad [8].

Picaresca y cervantismo

El Lazarillo, El Buscón, el *Guzmán de Alfarache,* por citar sólo los ejemplos más conocidos, configuraron en la literatura española un molde e impusieron un modo de contar, en primera persona, que hizo inseparable al narrador de lo narrado. *Pedro Sánchez,* a mi entender, fue creado teniendo en cuenta muy conscientemente esos moldes, y comparte con ellos ciertas características formales que acaso permitieran calificarla de novela picaresca sin pícaro (aunque no sin pícaros).

Similitudes, a nivel formal, hay bastantes; sin pretender agotarlas, señalaré las que me parecen de más bulto. Por ejemplo, el tratamiento de los orígenes familiares del personaje. Es propio del género picaresco declararlos desde el comienzo, y que sean deshonrosos, para así explicar y hasta justificar por los antecedentes las consecuencias, como en el *Lazarillo* o el *Buscón*; aun sin alargarme en una cita extensa, recordaré las magistrales páginas de Quevedo en las que dice que los padres de Pablos eran el «tundidor de mejillas y sastre de barbas» y la que «reedificaba doncellas, resucitaba cabellos y encubría canas». En *Pedro Sánchez,* la ancestral deshonra se sustituye por una fina burla de los pujos de nobleza del padre:

> Yo era el menor de los hijos de mi padre, y en mí tenía éste puestos los cinco sentidos, no sólo por ser el benjamín de la casa, sino por mi calidad de varón, llamado, por ende, a conservar el apellido de mi familia, de lo cual se pagaba mucho el candoroso autor de mis días, ni más ni menos que si los Sánchez no abundasen en el mundo, o hubiera en la rama directa de los de mi casta alguna particularidad eminente que valiera la pena de irse esculpiendo en la memoria de las sucesivas generaciones de mi familia, o no pudiera ni debiera endosarse a cualquier otro Sánchez de los muchos que había en el lugar, o al primero con quien se topase al revolver la esquina, a falta de otro mejor [9].

El principio es el mismo: burlarse de la ascendencia; lo que varía notablemente es el tratamiento: en un caso es cruel y descarnado; en el otro, tierno e irónico. Ejemplo semejante de blanda ironía se

---

[8] Cuando siempre se ha considerado esencial al realismo, todo lo contrario, la presentación objetiva, como apunta, por ejemplo, George J. Becker en su antología citada, p. 28.

[9] José María de Pereda, *Pedro Sánchez,* en *Obras Completas,* Madrid, Editorial Aguilar, 1943, p. 1136. Todas las citas de esta obra las tomo de esta edición, y desde ahora aparecerán entre paréntesis en el texto.

halla en el primer párrafo de la novela, donde se pone en solfa el escudo familiar. Como en la picaresca, los antecedentes influirán en el desarrollo de los sucesos [10].

Aparte de algunas semejanzas menos claras, determinadas por el sabor arcaico de la lengua en los capítulos iniciales de *Pedro Sánchez* —los que transcurren en Santander—, la más destacada es la impuesta por el carácter del relato que, siguiendo a Fernando Lázaro Carreter, pudiéramos calificar de «cerrado», como él denomina al del *Lazarillo de Tormes* [11], pues todo lo que ocurre en la novela está subordinado a la narración de la vida del protagonista.

Y al llegar aquí es inevitable precisar que la narración perediana está contagiada de cervantismo, hecho que en alguna medida altera su relación con la picaresca. Esa ironía, sin ir más lejos, puede proceder de Cervantes, como de él proceden, sin duda, ciertos rasgos de estilo, visibles desde el primer párrafo de la novela: «Entonces no era mi pueblo la mitad de lo que es hoy. Componíanle cuatro barriadas de mala muerte, bastante separadas entre sí, y la mejor de sus casas era la de mi padre, con ser muy vieja y destartalada. Pero al cabo tenía dos balcones, ancho soportal, huerta al costado, pozo y lavadero en la corralada, y hasta su poco de escudo blasonado en la fachada principal» (p. 1135). Esto es Cervantes puro, y creo que conviene destacarlo porque cosas así configuran el estilo del narrador, que no es un Lazarillo resignado a la situación de cornudo en que la vida le ha colocado, sino un hombre maduro, de alguna ilustración, que escribe, como el autor del *Quijote,* desde la melancolía y el desengaño.

Pereda fue, con *Fernán Caballero,* uno de los primeros en darse cuenta del triste estado en que había caído la novela española a mediados del siglo XIX: «Estaba —dice— menos que en pañales en la patria del *Quijote*» (p. 1180). Los costumbristas se limitaban a presentar el «modo de estar» y no «el de ser» [12] de las figuras que les interesaban, más atentos al tipo que a la peculiaridad del personaje. ¿Puede sorprender que quien intentaba devolver a la novela el prestigio que tuvo en el pasado retuviera, consciente o inconscientemente, los elementos que en la picaresca y en la cervantina habían funcionado con tan indudable excelencia?

---

[10] PEREDA abrirá también *Peñas arriba* (1895) con la explicación del «caso» de Marcelo, el protagonista, lo cual produce en el lector las buscadas resonancias. La influencia del *Lazarillo de Tormes* y el *Quijote* en la novela del siglo XIX es un tema cuyo estudio requiere urgencia, pues la bibliografía al respecto es parcial e incompleta.

[11] FERNANDO LÁZARO CARRETER, «Construcción y sentido del *Lazarillo de Tormes*», *Abaco,* n.º 1 (1969), p. 59.

[12] JOSÉ F. MONTESINOS, *Costumbrismo y novela,* Valencia, Editorial Castalia, 1960, p. 61.

Pienso, además, que en *Pedro Sánchez* quería Pereda reflejar una transición: la del muchacho campesino al hombre ciudadano, y la de un mundo que, como el de don Quijote, cambia ante los ojos del protagonista. Don Quijote representa en sus aventuras la fuerza del pasado, la atracción de un heroísmo «gótico» ya anacrónico, mientras que Sánchez está inicialmente más por el cambio que por la inmovilidad, pero al final, siguiendo la pauta de aquél, aunque en dirección diferente, su sentimiento es otro y desde esa nueva actitud escribe la historia de su vida.

Estructura novelesca

El relato en primera persona, autobiográfico, impone unos límites naturales a la narración que, por un lado, se refieren al tiempo, al momento desde donde se cuenta —retrospectivamente—, y, por otro, circunscriben lo narrado a lo que refiere el narrador. Son estas limitaciones las que imponen a la novela ese tipo de estructura que se ha llamado cerrada, si se piensa en la prefiguración narrativa impuesta por la adopción de un modelo determinado.

Mariano Baquero Goyanes ha descrito este tipo de estructura, al compararla con la abierta: «Si una estructura abierta es consecuencia, muchas veces, de no haber adoptado el novelista un camino a seguir, claramente marcado; la adopción del mismo, es decir, la precisión y fijación de un final, conocido desde el comienzo y al que todo converge, resulta decisiva la 'estructura cerrada del relato'» [13]. En *Pedro Sánchez,* la estructura sigue un modelo perfectamente identificable: el del joven provinciano que marcha a la conquista de la capital. *Le rouge et le noir,* de Stendhal, e *Illusions perdues,* de Balzac, son los arquetipos de esta dirección de la novela en el siglo XIX. Aquí la experiencia está contada como pasado remoto, y no tanto remoto en el tiempo cronológico como en el psicológico, pues, como consecuencia del cambio producido por el desengaño, el protagonista es otro. Escribe para iluminar y adoctrinar, para darnos una lección, como dice en la frase que cierra el libro (y me hace recordar al *Guzmán de Alfarache*): «Yo lo daré todo por bien empleado, con tal que el ejemplo de mis desengaños llegue a servir a alguno de escarmiento» (p. 1281).

El orden viene impuesto por la forma y por el propósito: si se ha de ejemplarizar será necesario exponer lo ocurrido por sus pasos contados, convertir la narración en confesión, no ocultar nada, y menos que todo las flaquezas y los errores, pues solamente siendo

[13] Mariano Baquero Goyanes, *Estructuras de la novela actual,* Barcelona, Editorial Planeta, 1970, p. 189.

sincero y exponiendo las caídas podrá justificarse el estado de ánimo en que se escribe. Sépanse, pues, cómo fueron los orígenes y cómo poco a poco fue apartándose el personaje de la inocencia inicial, movido por impulsos que no parecen tan repudiables al lector como al propio Sánchez en el momento de contarlos. Véase cómo para el narrador maduro su vida entera ha sido un error, porque error le parece haber cedido a los halagos y a las tentaciones de la vida cortesana.

En el esquema tradicional de esta clase de ficciones, el joven provinciano es fundamentalmente inexperto, «inocente», en más de un sentido [14]. La novela expone la pérdida, paulatina o súbita, de esa inocencia, bien sea para obtener en la vida el éxito que esperaba o para fracasar. Sea uno u otro el desenlace, lo que no puede faltar y necesariamente ha de ocurrir es ese cambio, esa alteración de la personalidad que lleva a Isidora Rufete al «suicidio» de la prostitución y a Julián Sorel a la muerte.

Señalaré también que la forma autobiográfica condiciona, como es lógico, el punto de vista. El yo que habla y la perspectiva desde la que se observan los acontecimientos son siempre los mismos, aunque no pueda decirse que sean inalterables por la transformación psicológica señalada hace un momento. Veremos la novela siempre por los ojos de Sánchez, pero su visión cambia y los sucesos parecen tener distinta significación cuando fueron vividos que cuando son recordados.

Sobre la dialéctica aldea-Corte [15] se organiza la novela. Al comienzo, Pedro es un joven cuyas aspiraciones se cifran en «llegar a ser, andando los años, secretario del Ayuntamiento [de su pueblo], plaza que valía poco más de doscientos cincuenta ducados» (p. 1138). Sus ambiciones eran escasas, y como él dice: «Ni llegaban a tanto las de mi padre cuando trataba el delicado punto 'de hacerme un hombre' sin salir de las fronteras de mi tierra nativa» (p. 1138). La posibilidad de obtener en Madrid empleo más lucrativo y prestigioso, posibilidad brindada por el influyente don Augusto Valenzuela, a la sazón veraneante en la aldea, abre nuevos horizontes al héroe. En este punto, la novela realmente comienza, desapareciendo los elementos idílicos que Montesinos estimaba característicos de la obra perediana. Lo que empieza es una novela anclada en una realidad fluctuante y amarga, y no en el espacio idealizado de *El sabor de la tierruca* o *La puchera.* Visible es el hecho en cómo describe el protagonista sus sentimientos al perder de vista el verde paisaje de La

---

[14] Las variaciones de este tema son innumerables. Me vienen ahora a la mente dos: la de *El Doctor Centeno,* de Galdós, cuyo desarrollo he estudiado en otro lugar *(Cuadernos Hispanoamericanos,* octubre-enero, 1971), y la de *La lucha por la vida,* de Pío Baroja.

[15] Anthony H. Clarke, en su libro *Pereda, paisajista* (Santander, Institución Cultural de Cantabria, 1969), en las pp. 87 a 110, estudia la significación del tema en toda la obra de Pereda.

Montaña natal y adentrarse en las llanuras áridas de Castilla. Su emoción de entonces es como un aviso de lo que le espera, a la manera de la corneja que vio el Cid: una «negra pesadumbre» (p. 1158) se apodera de su ánimo.

Naturalmente, es en la capital donde acontecen los sucesos «novelescos»; los capítulos precedentes no han sido sino exposición necesaria, preliminares, que servirán de contraste con lo demás. Una vez en Madrid, visita al ilustre «protector», esperando que le dé el puesto prometido; entonces comienza el «vuelva usted mañana», el vacío correr del tiempo y las promesas incumplidas. Conoce a Matica, que no tarda en ser su amigo y consejero, y éste le consigue un puesto de administrador en un periódico liberal; allí se despierta su afición a escribir, y llega a ser un crítico famoso: «Adondequiera que miraba y por dondequiera que iba, hallaba el camino sembrado de flores» (p. 1215). Hasta aquí el argumento recuerda bastante al de *Illusions perdues,* de Balzac, novela que, por cierto, pertenece a la serie que el novelista subtituló «Escenas de la vida de provincia». Esta se desarrolla, en su mayor parte, en París en unas circunstancias y ambiente —el mundo del periodismo— que podrían compararse con los del Madrid de *Pedro Sánchez.* No se olvide que el periodismo, lo mismo en París que Madrid, es una de las puertas por donde en el siglo XIX se llega al poder. La pluma es arma que compite con la espada, y de la esgrimida por Sánchez sabemos que es una de las más respetadas de la Corte; llega a ser el «rey de la crítica literaria y el primer cronista del mundo elegante» (p. 1216). De la literatura a la política no había más que un paso. Escribe un panfleto antigubernamental y es perseguido por la policía, lo que le obliga a permanecer escondido hasta la Revolución del 54, en la que participa como miembro destacado de la Milicia. Esta rápida escalada al triunfo acaba en su matrimonio con Clara, la hija de Valenzuela.

El personaje va madurando (para el ascenso y la catástrofe). El matrimonio, y no el amor, que en la sociedad post-romántica ha perdido prestigio, es una experiencia necesaria. Una amante le hubiera servido mejor, como al Víctor Cadalso de *Miau,* pero Sánchez ha sido formado en un ambiente que le inclina al matrimonio, aunque el suyo parezca abocado al fracaso, como habían de predecirle sus mejores amigos. Su mujer le engaña, hay un duelo y Sánchez marcha al extranjero. Allí hace fortuna y, muerta Clara, casa con Carmen, antítesis de aquélla, pero ésta muere también, así como el hijo del segundo matrimonio. Zigzagueando, la novela muestra el ascenso social del personaje, aunque también el precio que ello le cuesta.

De vuelta en su tierra, rico y solo, observa que también la aldea ha cambiado; hay carretera donde antes camino, los caciques son otros, etc. Compra la casa donde conoció a Valenzuela y a Clara, para destruirla, pero aun en ruinas sigue siendo su «gato negro» (p. 1281), el que le atravesó el destino en el camino. No es el objeto, sino la memoria lo que duele y le obsesiona. Piensa con frialdad en la Corte y en los triunfos que allí pueden lograrse; está de vuelta de todo eso, porque sabe lo que esas glorias valen y lo que cuestan. Su actitud desengañada le lleva a escribir sus memorias, y las escribe con un propósito de ejemplaridad muy definido. Piensa que, en realidad, tuvo todo lo que deseaba, menos la felicidad; y piensa también si ésta no hubiera sido más asequible en la vida llana del pueblo.

En torno a la dualidad, a la oposición aldea-Corte, ha girado la novela; hasta pudiera decirse que el tema del desengaño y el elogio de la vida aldeana son inseparables. El narrador escribe desengañado, y porque está desengañado, partiendo de una experiencia de que ha sido protagonista. Ahora veremos cómo la estructura narrativa se relaciona con la estructura novelesca en consonancia muy certera, pues el narrador es el personaje-escritor, para quien el acto de escribir es algo natural y deseable.

NARRADOR Y ESTRUCTURA NARRATIVA

El narrador, según indica él mismo, es persona atraída a las letras desde edad muy joven: «Con leer a menudo la *Clarissa Harlowe, El hombre feliz* y el *Quijote,* que andaban algo empolvadas en la alacena que en mi casa hacía las veces de librería, cobré señalada afición a la amena literatura» (p. 1136). Igualmente temprana es su afición a escribir:

> Y no vaya a deducirse aquí que a pesar de las enseñanzas del párroco y de mis constantes lecturas de las mencionadas novelas, y hasta de las que publicaba en su folletín el periódico de mi padre, estaba yo tan en barbecho como cualquiera de mis rústicos vecinos: nada de eso; para entonces ya escribía yo mis correspondientes versos a la luna, y al borrascoso mar, y a cuanto se me ponía por delante, y agotaba consonantes para llorar imaginadas amarguras y fingidos desengaños [...]. ¡Pues poco me dieron que hacer y que escribir los amores de Crisóstomo y desdenes de Marcela! (p. 1138).

Según vayan explayándose sus recuerdos irá viéndose cómo esas aficiones juveniles influyen en la dirección que toma su vida; acaso el tipo de lecturas a que se inclina tienen parte no pequeña en la formación del carácter y hasta en el giro de los sucesos en que se ve envuelto. Las circunstancias le moldean. En Madrid vive en una pensión de estudiantes, donde el libro de texto «apenas existía» (p. 1164), pero, en cambio, abundaban las novelas. Lo escrito en la aldea, desde la altura de sus nuevos conocimientos, le parecen «ternezas quejumbrosas, insulsas y descoloridas» (p. 1164). Se entrega con pasión e indiscriminación a la lectura de ficciones: «En el ramo de las novelas entraba con todos, y no era yo otra cosa que un glotón insaciable sin pizca de paladar» (pp. 1176-77). Por contagio y por natural deseo de emulación, prueba fortuna con la pluma, pero sin gran éxito: «En poniéndome a escribir hacía cosas que me asombraban y, sin embargo, no valían dos pitos, como me lo demostró Matica en más de una ocasión y con motivo de pedirle yo su parecer sobre lo que había hecho. «Esto es de Bretón», me dijo una vez. Juré lo contrario [...], pero me dejó confundido recitándome una letrilla del famoso vate, de la cual era la mía remedo» (pp. 1181-82).

Advertimos aquí, por estas reminiscencias de juventud, que el narrador tiene conciencia de que en el acto de escribir se corre el riesgo de diluir la personalidad en la de otro, en la de quien o quienes nos influyen. Si el estilo es prestado, lo escrito carecerá de autenticidad, puesto que no reflejará al hombre, sino a su modelo. ¿Cómo desprenderse de las influencias? Sánchez lo procura escribiendo más y más, ejercitándose. Entra a trabajar en «El Clarín de la Patria», un periódico liberal; el ambiente de la redacción y la tinta de imprenta le embriagan. Escribe «en verso y en prosa, serio y alegre; en fin, escribí todo y sobre todo». Actúa de crítico literario, aunque improvisado, y esta circunstancia le sirve para esbozar en dos páginas un apunte muy curioso sobre el estado de las letras en la época de que se trata: los alrededores del 54.

Todavía dirá algo más de su interés por las letras, pero sin insistencia, y vinculándolo ya con la política. No hace falta insistir, porque de lo que se trata es de proporcionar al lector los datos caracterizadores, y para eso con lo expuesto basta. El narrador fue un escritor profesional, y eso explica y hace verosímil la cuidadosa composición de la novela y la soltura del estilo. Escribe, como su amigo Matica le había aconsejado, cuando ha «adquirido mayor caudal de ideas propias» y «digerido bien las ajenas» (p. 1182), y escribe bien, no tanto porque sus ideas sean de gran novedad, sino porque las ha hecho suyas a través de la experiencia.

La estructura narrativa ha de entenderse partiendo de estos supuestos. El narrador de *Pedro Sánchez* es un profesional y un hombre experimentado. Conoce las reglas del arte y entre ellas la primera y más obvia: lo que se escriba debe ser interesante. Autobiografía, sí; confesión, desde luego, pero escrita, porque lo vivido vale la pena de ser narrado. El factor interés es lo que, desde el punto de vista del lector, más contribuirá a lo que pudiéramos llamar novelización de la autobiografía. Y esa novelización, involuntaria y no pensada por el narrador, es consecuencia de sus viejos hábitos de profesional que le llevan a seleccionar sus recuerdos; frases como «omito por innecesario» (p. 1152) las repetirá con frecuencia; de acuerdo con ellas callará lo superfluo y cortará la narración dónde y cómo le parezca, aunque el corte no deje de serle penoso, pues no olvidemos que lo que corta son trozos de su propia vida: «Bien sabe Dios el trabajo que me cuesta cerrar la válvula para que no salten sobre el papel otras infinitas de la misma casta» (p. 1158).

El carácter de lo narrado impone en la narración ciertas modalidades, pues pretendiendo que ésta sea «fiel reflejo de la realidad» (p. 1189), muchas veces, a pesar de cortar aquí y allá, casi sin darse cuenta será inevitable recargarla de detalles y pormenores que pueden parecer inventados para dar sensación de verdad. El narrador observa este peligro y no deja de pensar en el que para la verosimilitud ofrece el hecho de «ser aquí muy minucioso en detalles de que apenas me daba cuenta en aquella ocasión [cuando los hechos ocurrieron]» (p. 1189), y si su pluma no se contiene, y comenta (como si se viera forzado a ello) algo que de pronto le parece que debe subrayarse, lo pone entre paréntesis. Así hace para mostrar la vanidad de don Augusto Valenzuela, quien deslumbró a Sánchez cuando joven, y que vista con más perspectiva, le parece cómica al hombre maduro: «El país me encanta. (Estas palabras las recalcó mucho)» (p. 1147). Gracias a este sencillísimo recurso, el lector se da cuenta de que el narrador es al escribir y no al vivir cuando cae en la cuenta del tono familiar con que el politicastro alude a la Reina.

El narrador-protagonista está sujeto a limitaciones harto conocidas [16]. Siendo a la vez centro de conciencia y eje de la narración se encuentra en una situación a la vez limitada y privilegiada. No se oirán en la novela otras voces, pero esa ausencia da a su voz una resonancia que no compite con nada. Lo que cuenta aparece sin contradicción, si no es la que puede hallar en el lector mismo, y así la novela parece dirigirse más directamente a éste. El narrador-protagonista es rey absoluto, pero depende de la aceptación del lector para existir: si lo que dice no es aceptado como verdadero (en el contexto de la novela), si su palabra se hace sospechosa, «inverosímil», la narración nada vale [17].

Consecuencia natural de esta forma de contar es la pérdida de movilidad y la reducción del espacio; no hay en *Pedro Sánchez* más escenario que el pisado por el protagonista. El narrador omnisciente hubiera podido desplazarse libremente de un lado a otro y ensanchar el ámbito novelesco, incluyendo incluso las almas y los sueños de los entes ficticios. Pero no aquí, donde incluso lo que se dice sobre éstos

---

[16] NORMAN FRIEDMAN, *art. cit.*, pp. 1175-76, enumera las más frecuentes.

[17] En *Peñas arriba,* otro narrador-personaje, Marcelo, cede demasiado la palabra, él no crea su mundo, se lo crean. Es probable que la constante reproducción «verbatim» de opiniones de otros personajes, como Neluco, claro doble de Pereda, sea en gran parte culpable de que la novela se convierta en una descarada defensa de la vida del campo. Al lector de la última novela de don JOSÉ MARÍA le resulta difícil identificarse, y menos tomar por «verosímiles» los parciales alegatos de los habitantes de Tablanca.

no tiene otro carácter que el de opiniones de Sánchez, no contrastadas, en definitiva, por las de otros.

La narración en primera persona tiene una característica que la distingue de las demás, sus «pretensiones epistemológicas» [18]. El narrador está en la novela para redefinir la realidad; su verdadero ser no importa ahora, sino la forma en que la ve quien la describe. «Es el yo quien da al mundo verdadera realidad: las cosas y los gestos nada valen —en cierto modo, pues, nada son—, mientras no se les incorpora al sujeto» [19]. La narración se hace más humana, el que cuenta ya no es —y parafraseo ahora a Francisco Rico— un dios que da noticias sobre un mundo de significación unívoca, como ocurre con el narrador omnisciente, sino alguien que en vez de infalible pretende ser únicamente fiel, al presentar el efecto que las cosas y personas le producen; al presentar la realidad y sus problemas, tal como se ofrecen cada día, no vistas a través de un prisma deificador, sino de un prisma humanizador.

El narrador de que trato comienza por singularizarse, indicando quién es el Pedro que cuenta la historia. Su apellido, Sánchez, apenas significa nada, pues en el pueblo abunda, y nada hicieron sus antepasados para identificarse como «los Sánchez» por antonomasia. No es necesario, en relación con nuestro tema, volver sobre lo ya apuntado de su biografía, aunque sí conviene recordar que, habiendo sido testigo de los sucesos ocurridos en Madrid en 1854, lo que suele llamarse «revolución del 54», y deseando contarlos, se convierte de pronto en cronista de tales acontecimientos.

Tal deseo o exigencia introduce en la estructura narrativa un ligero cambio; ligero porque, en realidad, la forma de contar sigue siendo en lo sustancial la misma, pero cambio al fin y al cabo, porque, siendo distinta la materia de que se trata, la diferencia no puede menos de afectar al tono. Basta comparar las descripciones de la aldea, en el primer capítulo de la novela, con las páginas dedicadas a pintar la revolución, para advertir el cambio de tonalidad, tan visible en la adjetivación y en las imágenes. No puede el narrador mantener el mismo acento cuando habla de la placidez aldeana que cuando trata del alzamiento capitalino.

Veamos de cerca cómo opera el narrador-cronista, al escribir retrospectivamente su relación de lo ocurrido en Madrid:

> ¿Qué pasaba allí? Creo que nadie lo sabía. Notábase un oscilar de cabezas y un ruido sordo, como de resaca, de *mar de fondo*. Alguna voz más alta que otra, o un grito aislado, casi siempre de mujer: graznido de gaviota augurando tempestades sobre una mar preñada de misterios. Quizá no había en toda aquella masa bullente una sola persona con

---

[18] Francisco Rico, *op. cit.,* p. 41.
[19] *Ibid.,* pp. 41-42.

propósito bien determinado. Los huracanes populares se forman casi siempre de la manera más extraña: gentes inofensivas que caminaban por la calle más de prisa que lo acostumbrado; rostros pálidos y miradas en las cuales se pintaba el temor y la curiosidad, el afán de lo desconocido; noticias extraordinarias, absurdas tal vez, que parecen circular por sí solas en las ondas del aire, de barrio en barrio, de grupo en grupo, de oído en oído; diez curiosos detenidos delante de un edificio, porque en él hay algo de lo que estorba al común anhelo; otros diez que se detienen después por la misma causa; y luego otros tantos, y en seguida ciento, y mil, y más, hasta que ya no se cabe; y empiezan, con el roce y el tufillo de las muchedumbres, el escozor de la curiosidad no sátisfecha y la inquietud nerviosa en cada burbujita, que luego engendra el lento bamboleo de toda la masa; y el bamboleo, la hinchazón de las olas; las olas; las olas, el choque, el estruendo, y la espuma, y al fin, el desastre (pp. 1224-25).

La cita es extensa, pero nos ha parecido oportuno recoger el párrafo íntegro, porque su rica y variada textura permite observar en un espacio, después de todo reducido, los ingredientes de la estructura narrativa. Observemos en primer término las vacilaciones del narrador, que, sin duda, contribuyen a dar sensación de objetividad a su presentación de los hechos: «¿Qué pasaba allí? Creo que nadie lo sabía.» Y a continuación un «notábase», que claramente expresa una percepción imprecisa, la de un movimiento y un ruido que el símil caracteriza bien porque lo hace sentir al lector en forma sorda y «natural»: «resaca», «mar de fondo». Esta primera imagen va seguida de otra: la del grito de mujer escuchado como «graznido de gaviota», lo que por contigüidad sonora parece admisible y permite sugerir al lector lo que en el resto de la oración se expresa, y no sin una cierta tendenciosidad: «augurando tempestades».

Pero en seguida, y luego más adelante, nuevas formas verbales de cautela reaparecen en la narración: «quizá», «casi siempre», «tal vez», están ahí para recordar al lector que quien habla no quiere aparecer demasiado afirmativo, porque sabe que no siéndolo, o no pareciéndolo, su decir tiene más probabilidades de ser aceptado. A su amparo puede ir avanzando en la descripción con más libertad. Poco a poco, de progresión en progresión, va entrando en materia (y la expresión coloquial me parece aquí muy adecuada y precisa para describir cómo la estructura narrativa se va cargando de significado, va sirviendo al significado y haciéndose, por decirlo en una sola palabra, tendenciosa y encaminándose, como en sucesivas oleadas, hacia un final previsible).

Curiosos se juntan, de diez en diez, de ciento a mil, y la muchedumbre (con su «tufillo», tan distinto de las fragancias recordadas al hablar de la aldea) pasará a ser masa, mar en movimiento, fuerza que se agita y produce «el choque, el estruendo» y de ahí más «el desastre», expresión que el narrador maduro cuela un poco de matute, pues no es probable que respondiera a los sentimientos del Sánchez juvenil, que había apostado entonces a la carta de la revolución.

El hecho de que la narración se refiera a un pasado relativamente remoto, más alejado todavía en la conciencia que en el tiempo, introduce en la configuración de la narrativa algunas modalidades irónicas, como cuando Sánchez se presenta contemplando los comienzos del motín callejero y cayendo en la cuenta de que él es un revolucionario y no el aldeano inofensivo del comienzo: «Entonces, de repente, me acordé yo de que era Pedro Sánchez; no el hijo del pobre hidalgo montañés», sino «el popular autor de ese escrito incendiario» (p. 1225). El desdoblamiento de Sánchez en narrador y personaje es aquí curioso, pues aunque recordando su pasado el hecho es que aquél se siente otro del que vivió los episodios que está contando y puede ironizar fácilmente a su costa, en esta forma y en la ya apuntada de poner entre paréntesis algún comentario que inequívocamente quiere ofrecerse como interpolación del narrador maduro.

La narración en primera persona sirve, pues, para dar forma a la masa de acontecimientos y sucesos ocurridos en Madrid en 1854, canalizándolos a través de la conciencia de Pedro desde una perspectiva temporal posterior. Consecuencia de esto es que la crónica no aparezca contada en detalle, ni siguiendo la sucesión cronológica, sino tal y como el narrador la va novelando. Siendo su intención contar una novela, la de su vida, y no una Historia, de ésta sólo contará lo que sirva a sus propósitos y haya sido parte de su vida. Ricardo Gullón, al hablar de la última serie de los *Episodios Nacionales,* dice palabras que con cambiar «Galdós» por «Pereda» pudieran servir para destacar mejor que yo puedo hacerlo aquí la importancia de la forma narrativa en la conjunción imaginación-historia: «La intuición de Galdós —afirma— le llevó a idear una estructura narrativa que, siendo sencilla, permitiera insertar la vida en su contexto natural, la Historia, y la creación imaginaria en una corriente nutricia de acontecimientos político-sociales, estableciendo entre ambas una relación fecundante que fortalece la invención y da sentido a la materia por el solo hecho de darle forma» [20]. Y, como acabamos de ver, la forma en *Pedro Sánchez* da sentido a la materia, así como ésta impone ciertos cambios de estilo. La crítica literaria y la historia, tan visibles en la novela perediana, están en ella siempre referidas al «yo» que habla. Por eso el dato, los datos históricos o literarios pierden su unívoco sentido, y se hacen necesariamente personales y hasta equívocos al ser referidos al sujeto, que los facilita y acaso los manipula: Pedro.

El verbo puede parecer un poco fuerte; diré, mejor, que la

[20] Ricardo Gullón, «La historia como materia novelable», *Anales Galdosianos,* n.º V (1970), p. 25.

selección de lo narrado fue hecha por el Sánchez desengañado y arrepentido, y que desengaño y arrepentimiento están, como habían de estar, en la estructura narrativa, para desde ella presionar al lector a fin de que se identifique con la versión que el autobiógrafo nos da. No sobrará aducir un ejemplo de silencio narrativo, harto elocuente por tratarse en él de quien se trata. «Así [sin formación de proceso] murió el famoso don Francisco Chico. Un día se presentó la turbamulta en su casa; le arrancó de la cama en que yacía postrado; le sentó medio desnudo en unas angarillas; cogió después al portero que le servía; echóle a andar junto a su amo, y en ruidosa procesión, calle de Toledo abajo, llegó todo junto, entre oleadas de curiosos y furias, hasta el último tercio de ella; y allí, a las diez de la mañana, arrimados los reos a una pared, con angarillas y todo..., ¡cataplum! » (p. 1238). Fuera de llamar «famoso» al hombre de quien se habla, nada se dice que permita al lector entender por qué pudo producirse hecho tan brutal. Lo cierto es que se trata del jefe de la policía de Madrid, tipo famoso por los crueles tratos a que sometía a los detenidos, lo que le había hecho ser temido y odiado por el pueblo madrileño.

Todavía hay en las líneas citadas algo más que quisiera señalar por creerlo pertinente a nuestro estudio: «turbamulta», «le arrancó», «furias» son indicios verbales reveladores de quién es el que escribe: conservador y no revolucionario; hijo pródigo y no aventurero. Indicios que se acumularán en otras páginas, dando al improperio el lugar de la designación. Así, cuando habla de las reuniones del Círculo progresista como de «jaula de mentecatos..., puja indecente de merecimientos que o era ridícula o afrentaban la causa en cuyo nombre se exponían [...], tanto cacareo de abnegación y de sacrificios [...]. El asco y la ira me espoleaban; la lengua me hervía en la boca...» (p. 1240). Creo que en estos signos puede descubrirse ya el comienzo del cambio: quien así habla y quien se porta como a continuación lo hace el protagonista está acercándose al modo de ver y sentir del Sánchez vuelto a la aldea.

Al hablarse del matrimonio con Clara, el lector puede sospechar que tras el narrador se oculta el autor. La razón para entrar en sospechas es que en la narración misma no hallamos dato alguno que haga parecer atractiva (salvo físicamente) a la hija de Valenzuela, ni menos que pueda hacerla digna de amor a los ojos de Pedro, a quien el lector cree destinado a casarse con Carmen, la dulce muchacha que andando el tiempo será su segunda mujer. Clara encarna en la novela todo lo que Pedro rechaza; él es idealista y sano, moral y físicamente; ella carece de escrúpulos y no tiene más ideal que ascender en la vida. La atracción que Pedro experimenta es puramente física, y aun a la distancia del recuerdo el narrador se excita recordándola: « ¡Qué cuerpo, señor! ... ¡Qué turgencia, qué frescura [...]. Me quedé hecho una bestia contemplándola» (p. 1245). Esta es probablemente la respuesta. No se ha interferido el autor. La confesión es explícita, y no hay que formular hipótesis, más o menos razonables, cuando el texto habla tan claramente.

Viejo y rico y solo en su aldea, el narrador escribe «todo lo que antecede»: su vida. ¿Por qué escribir? ¿Por qué rememorar, «siendo tan penoso recordar lo que más abunda en ello?» (p. 1281). «¡Qué sé yo! Quizá porque el entretener horas sobrantes de las pesadas noches de invierno, escudriñando los pliegues de la memoria y los escondrijos del corazón, experimento cierto placer, algo parecido al que siente el avaro al revolver y manosear su tesoro; pues, al fin y al cabo, de breves gozos y de amargas y muy hondas pesadumbres se compone el caudal de la vida humana» (p. 1281). Esa vida, al ser puesta en palabras, objetivizada, tiene algún valor, al menos para su protagonista, y no sólo porque «el ejemplo de mis desengaños [pueda] servir a alguno de escarmiento» (p. 1281), sino porque según la va escribiendo, según la va construyendo en palabras, el personaje va descubriéndose en ella y descubriéndole un sentido que acaso antes no podía ver. Esa es la grandeza de la creación literaria: de un conjunto más o menos disperso de hechos, acaso no demasiado importantes, surge en palabras una invención que puede aleccionar no sólo al lector, sino al mismo ser humano que manejó la pluma.

Relaciones narrador-lector

Todo autor, al escribir, cuenta con el lector. Este es parte de «la estructura básica, no menos que el autor que le habla, y está incluido dentro de su marco» [21]. No es concebible otra cosa, y Pereda no había de ser excepción a la regla. Creo incluso que no sólo pensaba en él, sino que le configuraba de acuerdo con sus deseos, introduciendo una pequeña variante en la manera de incorporar al lector en la novela; esta variante consiste en precisar de qué tipo es el lector en que piensa, es decir, si se trata de un lector montañés o un mozo imberbe. No se conformó con dirigirse al lector en general, sino que selecciona, entre los posibles, los que mejor convienen a su obra.

La ficcionalización del lector es clara en *El sabor de la tierruca* y en *Sotileza,* novelas que enmarcan a *Pedro Sánchez*; en ésta tiene un carácter algo diferente. Analizaré cómo se presenta la cuestión en las obras citadas para delimitar con claridad la extensión y carácter de estas relaciones.

Nada más comenzar *El sabor de la tierruca* vemos al lector convocado a la novela: «A su tiempo sabrá el lector cuánto le importa saber

[21] Francisco Ayala, *op. cit.,* pp. 32-33.

de este pueblo, que se llama 'Cumbrales'. Entre tanto, hágame el obsequio de subir conmigo al campanario, en la seguridad de que no ha de pesarle la subida. Y pues acepta la invitación, vamos andando» [22] (p. 1026). Claro está que o cierra el libro o acepta la invitación, y con ella la ficcionalización; es decir, el entrar a formar parte de la ficción. El lector ha de desempeñar la función que se le asigna o dejar de existir —como lector en la novela—, como ocurre cuando se niega a seguir leyendo. El autor, ficcionalizado también, y el lector deben ir juntos, y el primero lo da por descontado: «La altura del observatorio nos permite examinar el paisaje en todas direcciones» (p. 1026). Este «nos» incluye a ambos, y desde la segunda página de la obra los ve unidos. A veces, el autor tiene que abreviar, pero se cuida de advertirlo a su compañero de fatigas: «El curioso lector hallará más adelante con los debidos pormenores» lo que por el momento no puede comunicarle. En *El sabor de la tierruca,* la presencia del lector es constante: «Tendrá una idea del estado de don Juan Prezanes horas después de la borrasca que el lector presenció» (p. 1105).

En *Sotileza* (1885), el narrador se identifica con el autor de manera casi completa. Leído el prólogo no puede ofrecer duda la intención de Pereda, ni la sinceridad con que está escrito. Allí se dice que la obra va dedicada a sus «contemporáneos de Santander» (los «que aún vivan»), y con frase rotunda se afirma, para comenzar: «Así Dios me salve como no he pensado en otros lectores que vosotros al escribir este libro. Y declarado esto, declarado queda, por ende, que a vuestros juicios lo someto y que sólo con vuestro fallo me conformo.»

Trataba Pereda de crear una realidad concreta, de «resucitar gentes, cosas y lugares que apenas existen ya, y reconstruir un pueblo, y consideraba que únicamente quienes hubieran conocido esas gentes, visto de cerca esos lugares y vivido en ese pueblo podían ser jueces de su trabajo, porque sólo ellos podían valorar la calidad de la reconstrucción en que se había empeñado, calificándola de exacta y ajustada a la realidad, oponiéndola los reparos que mereciera si no la reflejaba fielmente.

Persuadido de que su novela era un «estudio del natural» e insistiendo en su intención de resucitar «aquellas generaciones con los mismos cuerpos y almas que tuvieran», se dirige a sus paisanos y coetáneos, reiterando con elocuencia el papel de jueces calificados que les atribuye: «¿A quién, sino a vosotros, que las conocistéis vivas, he de conceder yo la necesaria competencia para declarar con acierto si

[22] Para citar de *El sabor de la tierruca* y de *Sotileza* utilizó la misma edición de *Obras Completas* de la Editorial Aguilar, por la que cito de *Pedro Sánchez.* Igualmente, la paginación de ambas obras irá entre paréntesis en el texto.

es o no su lengua lo que en estas páginas se habla; si son o no son sus costumbres, sus leyes, sus vicios y sus virtudes, sus almas y sus cuerpos los que aquí se manifiestan? ¿Y quién, sino vosotros, podrá *suplir con la memoria fiel* lo que no puede representarse con la pluma: aquel acento en la dicción pausada, aquel gesto ceñudo sin encono, aquel ambiente salino en la persona, en la voz, en los ademanes y en el vestir desaliñado?» (El subrayado es mío.)

Estos lectores no son los corrientes, ni siquiera pueden ser reducidos a la categoría tradicional del lector amigo, que atenderá con simpatía a lo que va leyendo y se esforzará por entenderlo según el autor quiere que se entienda. El lector de *Sotileza* ha de ser eso y más: conocedor del paño, experto en la materia de que se trata, la vida santanderina de antaño; y por tener experiencia y conocimiento, el autor atribuye importancia a su «fallo», y desdeña, en cambio, el de la crítica (el de la crítica «forastera») que carezca de esas cualidades [23].

Nada más claro ni más terminante. Parecerá, pues, que en la novela no cabe otro lector que el así descrito, pero en el mismo prólogo se habla del «lector distinguido y elegante», sugiriéndose que la novela no ha sido escrita para complacerle: no aspiró —dice— «a escribir un libro al gusto de todos». Al hablar así descalifica de antemano las objeciones que a este tipo de lectores pudieran ocurrírsele. Los adjetivos «distinguido» y «elegante» están puestos, sin duda, con intención peyorativa y probablemente apuntando a los críticos madrileños.

Todo lo hasta aquí expuesto procede del prólogo, documento interesantísimo y no bien valorado hasta ahora. Subrayamos ciertas palabras que nos parecen manifestar bien lo que de *su* lector esperaba el autor y la relación que entre ellos se establece: solicita su ayuda, su colaboración pudiéramos decir, para que «con la memoria fiel» supla las limitaciones de la pluma y ponga en la lectura lo que en el texto no pudo poner el autor: el acento, el gesto y el ambiente están en la página, pero el autor, consciente de la dificultad de crearlos o reproducirlos con los matices que en la realidad tienen, pide al lector que los complete acudiendo a lo que de ellos recuerde, o sea, trayendo al relato algo que no está en él, aportando a la ficción materiales traídos de la misma cantera, pero por otra mano, para darle así un acabado satisfactorio.

---

[23] La intención de la dedicatoria la explicó el mismo PEREDA en una carta a GALDÓS: «El día 9 escribí la 682.ª y última cuartilla de *Sotileza*... Contando con la respuesta de Tello, he tenido que escribir aquí unas cuartillas de dedicatoria a mis contemporáneos santanderinos; pretexto para decirle a la Sra. crítica que me tienen sin cuidado los ascos que pueda hacer a ese libro cuyas dificultades es incapaz de comprender.» Carta de JOSÉ MARÍA DE PEREDA, fechada en Polanco, el 16 de diciembre de 1884. SOLEDAD ORTEGA, *Cartas a Galdós,* Madrid, «Revista de Occidente», 1964, p. 94.

Según esto, el santanderino «contemporáneo» de Pereda podía leer la novela de distinta manera a como la leyeron quienes no eran de Santander, ni de la edad del autor, circunstancias que para él implicaba, entre otras cosas, comunidad de actitudes y hasta de ideologías. Pero no podrá cerrarse el paso a una diferente especie de lectores, a quien no tuviera otras noticias del ambiente y de los personajes que las facilitadas por el autor: al lector de cualquier tiempo y lugar. Para este último, abstracto y generalizado, la narración y lo narrado son inseparables; lo que no está en aquélla, no existe, y es inútil pedirle que sepa de lo contado más de lo que el autor cuenta. Su única realidad es el texto, y lejos de cotejarlo con la realidad que el autor quiso reconstruir, se encierra en el texto mismo y de su coherencia deduce su verdad, su verdad artística.

Por fortuna, la prueba es, en general, satisfactoria, y la narración nos ofrece una ficción que, como otras muchas, intenta recuperar, recrear el tiempo perdido. Las semejanzas con la realidad nos interesan menos que la coherencia interna del relato, y el hecho de que los personajes vivieran alguna vez en Santander (como el Padre Apolinar vivió) no les diferencia ni en sustancia ni en función de los inventados por el novelista.

Sin ir, por ahora, más allá de esta declaración, volveremos al problema autor-lector, que en *Sotileza* se presenta con mayor complejidad de lo que se deduce de las páginas introductorias. Por de pronto, apuntaremos lo que, a nuestro juicio, está muy claro: el narrador de la novela es el mismo del prólogo, don José María de Pereda, vecino de Santander, que no quiso interponer entre él y su lector esa figura llamada narrador, que le hubiera permitido guardar las distancias, si tal fuese su propósito. En el primer capítulo de la obra hay una referencia al Santander del pasado, a la ciudad en que la ficción ocurre, y en esa referencia está el autor con sus recuerdos de entonces: «Del Santander que yo tengo acá dentro, muy adentro, en lo más hondo de mi corazón, y esculpido en la memoria de tal suerte que a ojos cerrados me atrevería a trazarle con todo su perímetro, y sus calles, y el color de sus piedras, y el número, y los nombres, y hasta las caras de sus habitantes» (p. 1290).

En el capítulo siguiente hallamos un dato que permite fijar con bastante aproximación la cronología del relato. Se habla de la llegada a puerto y del naufragio de la fragata «La Unión», y dice el narrador: «Yo me hallaba en la escuela de Rojí al sonar el campanón [que avisaba la llegada del barco] y ninguno preguntó allí: 'Qué fragata es ésa?'... Todos la conocíamos y casi todos la esperábamos. Con decir que en seguida se nos dio suelta, pondero cuanto puede ponderarse la impresión causada en el público por el suceso» (p. 1294). El «yo» con que comienza la cita es del autor, asistente, como se sabe, a la escuela de Rojí[24]; se incorpora así a la acción, como testigo del suceso, al mismo nivel que los personajes y como uno más entre ellos. Reaparece el «yo» autorial más adelante (al comienzo del capítulo VI), cuando al describir la reunión del Cabildo de Arriba se enfrenta con un tipo de lector al que quiere mostrar la importancia de lo que está contando: «Acérquese al Cabildo, que yo le resucito ahora», sin impacientarse por el tiempo gastado en contar lo que a ese lector pudiera parecer más largo de lo necesario. Y en el capítulo X dará testimonio personal de las desventuras que suelen ocurrir a los pataches: «En una sola tarde, no hace muchos años, he visto yo perecer cinco» (p. 1333), y dice cómo, cuándo y desde dónde lo vio.

Muy explícitamente se manifiesta quién es el narrador al comienzo del capítulo XXII, cuando Pereda lleva a la novela un suceso que no tiene en ella su lugar propio: «El Sardinero, en cuyas soledades se alzó en breves días un edificio, uno solo, destinado a fonda y hospedería, había vuelto a quedarse desierto y abandonado de todos por la obra de un lamentable suceso ocurrido en sus playas» (la muerte del brigadier Buenaga, según se aclara en nota) (p. 1393). Y todavía más directamente se define como quien es cuando, a propósito de la regata entre los mareantes de ambos Cabildos, precisa: «Quiero decir con todo esto y lo que me callo, por no repetir lo que bien dicho tengo en no sé cuántos libros y ocasiones» (p. 1394). El Pereda autor (el de *Escenas montañesas* sobre todo), y no sólo el hombre, es quien aquí aparece.

En el capítulo VI, al lector coetáneo y experto le ha sucedido un lector muy diferente: «boquirrubio» le llama, y lo despectivo está claro en el calificativo. Tan claro está que no tarda en rectificarlo sustituyendo el término por otro, más neutral, que sugiere ignorancia de las cosas, ambientes y personas de que se trata, y que por su existencia misma impone incorporar al relato informaciones que para el lector *pejino* serían superfluas.

Pereda está consciente de que este otro lector, ahora llamado «de ultrapuertos» y, más adelante, «de tierra adentro», necesita aclaraciones y explicaciones, sin las cuales muchas de las cosas a que la narración se refiere no serían inteligibles; necesita incluso que se le aclaren palabras y expresiones locales que de no ser aclaradas le privarían de saborear completamente lo que se le cuenta, y para ayudarle hasta incluye un pequeño glosario de voces locales para inteligencia de lectores «profanos». Le explica, por ejemplo (cap. VII) la razón (que es costumbre) de que casi todos los personajes tengan un mote y la transformación de los *náuticos* en *marinos*.

Tiene también conciencia el autor-narrador de que a veces el cuento se le va de las manos y se disculpa por ello: «Y perdone otra

---

[24] RICARDO GULLÓN, *Vida de Pereda, ed. cit.*, p. 16.

vez el lector al ver que me marcho por los trigos nuevamente: puede más que mi propósito de no extraviarme en el relato, la fuerza de los recuerdos que vienen enredados a cada detalle que apunto de aquellas gentes y de aquellos tiempos que se grabaron en las tablas vírgenes de la memoria» (p. 1321). «Perdone, pues, el lector las sobras si le molestan» (p. 1334). No hace falta multiplicar los ejemplos; con lo dicho se entenderá cómo va cambiando la actitud del autor respecto al lector y cómo por ese cambio la novela toma forma. El texto incluye cuanto debe incluir, y los ambientes, las voces, los gestos tienen en él colorido y finalidad precisa, sin que quien lea haya de esforzarse en completarlos con lo que su memoria pudiera aportar. Todo va siendo creación imaginativa.

Si el autor subraya ciertas palabras es precisamente para orientar al lector, que, por cierto, no siempre estará de acuerdo con que se intente conducirle, a través del subrayado, en determinada dirección; más discretamente se logra esto utilizando la imagen, aunque quizá la monstruosidad de Muergo se subraya con demasiada insistencia. Como narrador omnisciente, el de *Sotileza* no se priva de entrar y salir en los rincones del personaje, comentándolos cuando le parece oportuno y hasta saliendo fiador de propósitos no declarados por aquél (como los de Andrés de anteponerse a los deseos de Cleto, en el capítulo XVI).

Nada más revelador del cambio del autor respecto a su lector que la manera como lo califica. Sin olvidarse del primero, va acercándose más y más al segundo, al que llamó «boquirrubio». Señalamos un paso importante en el cambio: de boquirrubio a de «ultrapuertos». Pero no se detiene en esta caracterización, sino que más adelante le llama «curioso lector» (p. 1342), con insegura simpatía por quien está siguiendo las vueltas y revueltas de la narración con paciencia que el autor reconoce y solicita.

Según se acerca el final, anotamos en *Sotileza* variaciones sorprendentes. El último capítulo empieza diciendo: «No merece el bondadosísimo lector que me ha seguido hasta aquí con angélica paciencia que yo se la atormente de nuevo con el relato de sucesos que fácilmente se imaginan o son de escasísima pertinencia...» (p. 1431). Aquí no hay ya sino un lector, el santanderino y el de tierra adentro unificados por la «angélica paciencia» con que han seguido la narración. No hay ya diferencia entre ellos, ni ironías o recelos para el de ultrapuertos. Y el párrafo con que concluye capítulo y novela es una despedida del lector que por fin ha conquistado, por la atención, su gratitud. El lector que ha llegado hasta el final sin flaquear es llamado «pío y complaciente». Nada menos.

En estas páginas últimas, el narrador vuelve a identificarse como el autor, y como el autor que fue precisamente don José María de Pereda, autor de una obra publicada veinte años antes, en la que se referían acontecimientos de los que ya no es preciso hablar, puesto que allí fueron contados con detalle: «De lo que ocurrió en la puerta del Muelle con ocasión de embarcarse los mareantes de la leva para el servicio de la Patria, debo decir yo aquí muy poco, después de haber consagrado en otra parte largas páginas a ese duro tributo impuesto por la ley de entonces al gremio de pescadores en composición del monopolio de un oficio que cuenta, entre sus riesgos más frecuentes, los horrores de la galerna» (p. 1435). Se refiere al cuento «La leva», incluido en *Escenas montañesas,* donde aparecen figuras como Tremontorio, el Tuerto y las mujeres que anticipan el paisanaje de *Sotileza.*

Si el narrador es parte de la novela, de una novela, el autor no. Aquél está, por así decirlo, limitado a las páginas en que funciona, mientras éste puede salir de ellas, pasar de una obra a otra y acaso declararse, directa o indirectamente, en todas. Y en la novelística del siglo XIX español pocos lo hicieron con más desembarazo que Pereda, acaso porque su irrefrenable tendencia aleccionadora y moralizante le impulsaba a comentarios y reflexiones que le delataban y revelaban su actitud frente a la vida. Por eso, a diferencia de Galdós, Pardo Bazán o Alas, el narrador perediano es siempre igual a sí mismo, igual al hidalgo campesino de Polanco (como él se pensaba) y al escritor tradicionalista, apegado a los valores de una burguesía cuya ideología se trasluce, unas veces más y otras menos, en todas sus novelas.

En *Pedro Sánchez,* el narrador establece desde la primera línea relaciones de intimidad con el lector: le pone en contacto inmediato con los hechos o, mejor dicho, con una versión de los hechos. Pedro cuenta su vida para que sirva de ejemplo; cualquier lector será bienvenido y ejemplarizado. En el relato no hace falta invitación, como en *El sabor de la tierruca;* es un libro abierto. Claro es que el narrador-personaje quiere que se entiendan bien las cosas y para ello echa mano de técnicas semejantes a las utilizadas por los narradores de las novelas que acabo de comentar [25].

---

[25] Establecer aquí un detallado paralelo con *Peñas arriba,* obra contada también en primera persona, sería provechoso, pero nos llevaría muy lejos; por ello, me limitaré a apuntar brevemente los rasgos esenciales. La creación de Marcelo como narrador de la novela se puede resumir así: amoldamiento a las circunstancias. Pereda coloca a su personaje en unas escenas y situaciones que lo irán perfilando más que cambiando. Marcelo es un ser sin personalidad de comienzo a fin, la diferencia observable en su persona entre esos dos momentos es el grado de amoldamiento. El puesto que se asigna al lector es semejante al del personaje, un ser a adoctrinar, se trata también de moldearlo. El narrador va en un tándem con el lector, todo nos será explicado en función de la tesis de la obra. La diferencia con *Pedro Sánchez* es obvia: la creación del mundo novelesco no está a cargo del protagonista, como en ésta, sino de la sombra que con disfraz o sin él se va apoderando poco a poco del proceso

Volviendo por un momento a nuestra alusión al uso del paréntesis para intercalar en la narración comentarios o subrayados dirigidos al lector, diremos aquí que el procedimiento se utiliza también en *El sabor,* y es obvio que con ellos el narrador nos hace un guiño para que sepamos por dónde van los tiros. Apuntaré otro ejemplo: «(¡Qué de reverencias hice yo aquí!)» (p. 1153), con el propósito de que el lector, ya en antecedentes, se dé cuenta de lo inocente que aquél era, al hacer reverencias a quien le prometía lo que nunca le dio. Para que no haya duda, lo pone entre exclamaciones. Otras veces, el guiño de connivencia aparece en palabras entrecomilladas, por lo general relativas a algo dicho por otros y recordado por el narrador. Este es un medio de aportar a la estructura narrativa una cierta complicación tonal al hacer que otras voces, siquiera incidentalmente, se dejen oír en ella. Por citar un ejemplo entre muchos: un madrileño habla del Tesoro Nacional como si fuera el Tesoro «de Madrid», para sugerir a modo de reproche que se gasta indebidamente en provincias.

El narrador, consciente de la distancia que puede separarle del lector, explica las costumbres que a éste pueden serle extrañas, mientras omite las que supone que conoce: «Dióse comienzo a la visita en los términos que sabrá cualquiera de corrido por ser los mismos, los mismísimos que ahora se usan y usarán probablemente en todos los casos parecidos a aquél» (p. 1147).

La forma narrativa condiciona la relación narrador-lector. En *Pedro Sánchez* esta afirmación queda probada ampliamente. La relación se hace más libre que en el caso del narrador omnisciente, pues no hay modo de objetar a quien todo lo sabe, mientras es posible disentir de lo que al fin y a la postre no es sino versión personal de acontecimientos que el lector puede ver (aun a través de ojos ajenos) con diferente perspectiva y valorar de acuerdo con criterios personales (como lo hace, por ejemplo, el lector de *El amigo Manso*).

Ahora bien: esa valoración ha de hacerse dentro de la novela y partiendo de lo que en ella se dice. Salirse de la novela para buscar en la vida o en la historia lo que no está en aquélla y en seguida aplicarlo a la ficción, me parece ilícito. Lo que excluye el tipo de anotación erudita que puede ser necesaria para hacer inteligible una obra al lector moderno. Por eso, al hablar del episodio de la muerte de Chico, he vacilado en si debiera o no comentarlo; sólo lo hice después de reflexionar en que la omisión de una referencia histórica contextual tan importante para entender los sucesos «novelescos», debía ser puesta de relieve.

Pereda demostró, al escribir *Pedro Sánchez,* que las afirmaciones

creador, convirtiendo al narrador en un mero vehículo retórico, cuyo papel es más bien nominal.

de doña Emilia Pardo Bazán sobre el huerto eran injustas. Pero no debió de sentirse muy a gusto escribiendo como allí escribió [26]. En *Sotileza* vuelve a su Santander, a sus amigos, y al hacerlo casi adopta una actitud retadora, como diciendo: «Este es mi arte; si te gusta, acéptalo, y si no, déjalo para otros, y no digas que no soy capaz de otra cosa.» ¿No es la dedicatoria de su novela santanderina la verdadera respuesta a la Pardo Bazán? En todo caso, siendo él mismo, es decir, utilizando La Montaña como material básico, llegó a escribir algunas páginas memorables.

---

[26] Desplegó una «generosidad desusada en él, y que no siempre logrará luego», afirma MONTESINOS en su *Pereda o la novela idilio,* p. 140.

CAPITULO IV

EL NARRADOR FANTASTICO Y EL OTRO

UNA NOVELA PRIMERIZA

Unas breves palabras preliminares relativas al lugar que ocupa *La sombra* en la producción novelesca de Galdós y las circunstancias de su publicación, me parecen obligadas como punto de arranque del análisis de la obra propiamente dicha. Esta y *La fontana de oro* parecen tener el mismo derecho a ser llamadas «primera novela» del escritor canario. José F. Montesinos, al tratar de *La sombra* en su extenso estudio sobre Galdós, la sitúa a la cabeza de las narraciones largas, basándose en unas palabras del propio don Benito, que figuran en el prólogo puesto a la novela al publicarla en volumen (1890): «Data de una época que se pierde en la noche de los tiempos... que no acierto a precisar la fecha de su origen, aunque, relacionándola con otros hechos de la vida del autor, puedo referirla vagamente a los años 66 ó 67» [1]. *La fontana de oro,* por su parte, alcanzó la forma de libro en 1870, pero, según conclusiones de Montesinos [2], comenzó a escribirla en 1868. De lo dicho se deduce que si una fue la primera escrita, otra fue la primera publicada. Mas sea cual fuere el orden en que salieron de la pluma, mi interés aquí es recalcar la posición de primeriza que corresponde a *La sombra,* y añadir que no sólo lo es por la cronología; una cierta tiesura en la técnica de composición revela que la mano del autor todavía es poco experimentada. Sin embargo, es de notar que la obra contiene en germen muchos de los modos de novelar utilizados más ágilmente en las posteriores, como puede verse en la selección de un narrador-personaje, que ya en esta ficción ilumina al lector en todo instante. Igualmente anticipatorio es el hecho de describir el espacio nove-

[1] WILLIAM H. SHOEMAKER, *Los prólogos de Galdós,* México, Ediciones de Andrea, 1962, p. 67.

[2] JOSÉ F. MONTESINOS, *Galdós,* Madrid, Editorial Castalia, 1968, I, p. 52.

lesco como reflejo del personaje o el despliegue de la ironía. Sin adelantar ahora por este camino, que luego recorreré más despacio, diré algo sobre las circunstancias en que apareció la obra.

Vio la luz en sucesivas entregas de *La Revista de España* (1870). El hecho, insignificante en apariencia, puede excusar, por ejemplo, la constante intervención del narrador, pues el novelista, si quería atraer la atención del público, tenía que refrescar un poquito la memoria de sus lectores, en cada entrega. Esto pudo forzarle a darse a conocer una y otra vez para poner en claro el punto de vista desde el que se narraba. Por otro lado, la publicación seriada imponía a los autores unas reglas fijas; cada capítulo debía concluir con una interrogación, con una exaltación del interés que incitase al lector a buscar la entrega siguiente. Valgan lo que valieren estas consideraciones, me parecen necesarias, y quizá arrojen alguna luz sobre el análisis de la estructura y de la narración [3].

Estructura y narrador

La sombra, en mi opinión, fue escrita partiendo de una mezcla de imaginación y fantasía, que a modo de columna vertebral recorre las páginas de la obra. Puede decirse que en ella hay dos novelas: en la primera se cuenta la historia del desequilibrio mental de Anselmo; en la segunda, unida a la anterior, y cuya función es graduar los efectos producidos por la primera, se plantea un enigma. El narrador de aquélla es Anselmo; el de la misteriosa, un narrador-personaje, cuya voz se cruza a veces con la del autor implícito [4] y lo hace aparecer como omnisciente.

Las críticas de la obra que he podido leer se ocupan principalmente del elemento imaginativo o de problemas relacionados con él, y sólo de pasada mencionan el de misterio o suspense, que me parece esencial para el estudio de la estructura. Aun sin entrar de momento en el examen detallado de los problemas narrativos, que se estudiarán más adelante, no puedo seguir sin hacer algunas observaciones que se refieren a ellos. Al llegar a la última página averi-

[3] También es posible situar a *La sombra* dentro de otro tipo de novela, como muy acertadamente sugiere Sergio Beser en la «Introducción» a *Pedro Saputo* (1884), de Braulio Foz, edición de Francisco Ynduráin (Barcelona, Editorial Laia, 1973), la no realista del siglo XIX, a la que pertenecen novelas como *Morsamor,* de Valera, estudiada más adelante en este libro, o *La conquista del reino de Maya,* de Ganivet.

[4] Traduzco «implied author» por autor implícito. Uso el término tal y como lo define Wayne C. Booth en su excelente *The Rhetoric of Fiction (edit. cit.),* pp. 71-75. Para una valoración crítica del término, véase el artículo de Françoise Van Rossum-Guyon, «Point de vue ou perspective narrative», *art. cit.*

guamos que el protagonista, don Anselmo, ha contado la historia de su locura «al revés» [5] (p. 231), haciendo caso omiso del «orden lógico» (p. 231). Además, el narrador transcribe la historia de la locura tal y como salió de los labios de Anselmo; leemos sus propias palabras puestas entre comillas, para destacar la fidelidad de la transcripción. Estos recursos estilísticos: que la historia sea contada al revés, y que el narrador la repita como algo aprendido hace tiempo, no sabemos si hace un día, un mes o un año, revelan la presencia de un autor implícito, disimulado entre bastidores, y ordenando desde allí el curso de la ficción. Podía haber contado la obra en un «orden lógico», pero prefirió hacerlo de otro modo, para mantener ocultas hasta el final las causas del trastorno mental del protagonista. El narrador no tiene reparo en comunicarnos la muerte de Elena, esposa del doctor Anselmo, pero se resiste a decirnos cuál fue el origen de la enfermedad de su marido, que tan trágicos resultados tuvo para ella. Sabemos las consecuencias del trastorno mental, pero no la causa de tal enajenación. Y es precisamente esta causa, los celos inspirados por un personaje «real» —Alejandro— transfigurado en el mítico Paris, lo que produce las alucinaciones de Anselmo y constituyen el caso clínico [6] no aclarado hasta el final. Esta suspensión del dato decisivo permite establecer un primer paralelo entre *La sombra* y las novelas de intriga o policíacas, en las que se descubre muy pronto al muerto, pero se ignora durante largos capítulos quién le mató y por qué. Sin ese misterio que excita el interés no habría novela.

Andrés Amorós, resumiendo el estudio de Roger Caillois sobre la novela policíaca, *Le roman policier ou comment l'intelligence se retire du monde pour se consacrer à ses jeux et comment la société introduit ses problèmes dans ceux-ci,* dice: «Esta novela [la policíaca] narra la misma historia que la de aventuras, pero en sentido inverso; sigue el orden del descubrimiento, como una arquitectura piramidal» [7]. Caillois llama la atención sobre el punto que en *La sombra* me ha importado destacar: los hechos se cuentan en orden inverso al de su ocurrencia.

Una vez descubierta la causa de la extraña conducta de Anselmo, al autor no le importa dejar sueltos algunos de los cabos, puesto que el misterio ya fue dilucidado. Ciertas preguntas quedan sin respuesta, y el narrador explica por qué: «Pensé subir a que [don Anselmo]

---

5 Las citas de *La sombra* corresponden a las páginas de la edición de *Obras Completas,* de don Benito Pérez Galdós, Madrid, Editorial Aguilar, 1969, IV.

6 Rodolfo Cardona, «Introducción» a *La sombra,* de Galdós, New York, W. W. Norton & Co., Inc., 1964, p. XXV.

7 Andrés Amorós, *Introducción a la novela contemporánea,* Salamanca, Editorial Anaya, 1966, p. 88.

me sacara de dudas satisfaciendo mi curiosidad; pero no había andado dos escalones cuando se me ocurrió que el caso no merecía la pena, porque a mí no me importa mucho saberlo, ni al lector tampoco» (p. 231). El narrador comprende que el lector, una vez descubierta la causa de lo ocurrido, no tendrá ya interés en seguir leyendo. El misterio, por tanto, es uno de los efectos buscados y, como ingrediente novelesco, tan importante como la historia misma de Anselmo.

Quizá, como sugerí al comienzo, la publicación por entregas influyó en el modo de organizar la novela. Si Galdós pretendía retener la atención del lector, de entrega a entrega, no dejaría de tener presentes los recursos cuya utilidad para ese fin había sido demostrada por la retórica del folletín. La intención de mantener la intriga se pone de manifiesto de diversas maneras. Veamos, por ejemplo, la presentación del protagonista en forma contradictoria: es un «loco rematado», opina la gente, mientras que el narrador le señala «rasgos de genio» (p. 194); no sabe si colocarle «entre los más grandes» o situarle «junto a los mayores mentecatos nacidos de madre» (p. 194). Parecía un «nigromante», «pero no lo era ciertamente» (p. 195). El lector queda así desorientado, y aún lo estará más cuando en el apartado segundo del primer capítulo se diga: «Demos a conocer a la persona.» Resulta que en lugar de disipar nuestras dudas, en esas páginas el narrador sigue complaciéndose en las contradicciones. «Parecerá que don Anselmo es tipo poco común, de éstos que se ven en el artificioso mundo de la novela... Estas creencias se desvanecerán cuando se sepa que el doctor Anselmo era hombre de aspecto poco romántico, tan del día y de por acá...» (p. 197). Luego sabremos que en el cerebro del protagonista es tal la confusión que «locas imágenes» alternan con «discretos juicios» y necedades con «grandes concepciones..., fruto del más sano y cultivado entendimiento» (p. 198). La posibilidad de que se trate de «un loco» no excluye la de que nuestro hombre sea «un gran filósofo» (p. 199). La promesa implícita en el titulillo no se cumple y la personalidad del doctor continúa siendo enigmática, que es lo que se pretende.

En el apartado tercero del primer capítulo, el lector entra en contacto con don Anselmo en persona. Cuando el narrador le pregunte por qué hace experimentos de química, «seguro de que el sabio no daría contestación categórica» (p. 199), las contradicciones dejarán paso a la afirmación, a una respuesta clara, y sabremos cómo es en verdad el hombre, un río de imaginación. «Para atar la loca —contestó— para contenerla y obligarla a que no me martirice más» (p. 199). Ha optado por el experimento científico como medio de distraerse de una preocupación obsesiva: la suya está causada por la desbordante «loca», por la imaginación que no cesa de maquinar y de alterar el curso de su pensamiento. Experimenta con la química para escapar de esa imaginación que le perturba, sumergiéndose en el trabajo, como otros en el alcohol o los placeres. La cuestión ya no es determinar si el personaje es un genio o un mentecato, cuerdo o loco, sino averiguar el porqué de ese imaginar incontenible y morboso. El profesor Cardona, en su introducción a la edición americana de *La sombra,* ha estudiado esta problemática y la novela que de ella surge como una especie de anticipo de análisis freudiano, viendo cómo en ella se manifiesta poco a poco un proceso psicopático [8].

Efectivamente, es un desvelamiento gradual de la personalidad del protagonista, inicialmente tan ambigua. Al lector se le van proporcionando algunos datos, pero con cuidado de no revelar demasiado. De pronto, en el mismo apartado tercero del capítulo primero, se habla de una «voz abominable» (p. 201), de alguien, mal precisado, que atormenta a Anselmo y es raíz de sus males, aunque sin decir la identidad del sujeto a quien pertenece esa voz. Cuando el doctor va a descubrírnosla, se produce un cambio en la narración y el ojo de la cámara enfoca un movimiento trivial de la criada que viene a calentarse al fuego. El capítulo termina con una suspensión y un aplazamiento: «El doctor Anselmo —se concluye— habló de esta manera» (p. 202). Los dos puntos nos dejan en el aire, esperando una continuación que vendrá en forma de *flash-back*; es decir, de un retroceso en el que se expondrán los antecedentes del caso. En el capitulillo siguiente se cuenta la boda del protagonista, lo relativo al cuadro de Paris y Helena, y a los celos de aquél, causa primordial de los trastornos.

Con esto no queda aclarado sino un primer punto; en seguida se dará al lector la impresión de que algo extraño ha ocurrido: «Un día entré en mi casa, entré y vi... (p. 205). Los puntos suspensivos dejan al lector a oscuras. Anselmo vuelve al pasado; habla otra vez de su noviazgo, y la narrativa retorna al momento anterior: «... cuando

---

[8] RODOLFO CARDONA trata el tema con inteligencia y mesura. No así RAFAEL BOSCH, que, exagerando y prolongando esas ideas, dice: «Desde esta su segunda novela ha adoptado Galdós posiciones importantes y originales en cuestiones psicopatológicas, y debemos discutir si estas posiciones son freudianas o antifreudianas.» Y ya en esta pendiente el profesor BOSCH se atreve a escribir: «Las otras barbaridades [sic] que dice Montesinos contra este relato no valen la pena de considerarse aquí» («*La sombra* y la psicopatología de Galdós», en *Anales Galdosianos,* VI, 1971).

Otro maestro de la crítica del siglo XIX, JOAQUÍN CASALDUERO, había llamado ya la atención sobre los peligros de interpretaciones extremistas: «No sé cuáles serían los conocimientos de psiquiatría del joven Galdós, pues cuando dice: 'Yo he leído en el prólogo de un libro de neuropatía, que cayó al azar en mis manos, consideraciones muy razonables sobre los efectos de las ideas fijas en nuestro organismo' (p. 117), hay que darse cuenta de la intención atenuadora. No se quiere disertar pedantemente. Aunque es probable que los conocimientos de Galdós en psiquiatría no fueran extensos ni profundos, la frase de Galdós no debe tomarse al pie de la letra» («*La sombra*», en *Anales Galdosianos,* I, p. 33).

vi...» «¿Qué vio usted, hombre? Sepamos», dije con impaciencia [habla el segundo narrador]. «Vi, vi...» (p. 206). Una vez más la narración se interrumpe y nos quedamos sin saber lo que el personaje vio: «Un ruido instantáneo, horroroso, una detonación tremenda resonó en la habitación...» (p. 206). Estalla una probeta de las utilizadas por Anselmo para sus experimentos. El narrador desearía que la narración adelantase, pero algo externo se opone a sus deseos: la explosión causada por los experimentos químicos realizados por Anselmo; luego, una digresión más bien larga y muy detallada de cómo se abrasa un gato. Reputaríamos innecesaria la digresión si no pensáramos en la exigencia estructural de prolongar tanto como fuese posible la expectación del lector.

En el primer apartado del segundo capítulo reaparece la voz. La oye Anselmo en el cuarto de su esposa; Paris ha desaparecido del cuadro. El doctor echa abajo la puerta de la alcoba y ve que la ventana del «jardín estaba abierta, y que una sombra, un bulto, un hombre saltaba por ella. Este fue tan rápido que apenas lo vi» (p. 208). La intriga ha subido un punto: la voz se ha convertido en sombra y Paris se ha evaporado. Aún más: Anselmo ve que la sombra entra en el pozo, y lo llena de piedras, con la transparente intención de sepultarla. Cuando poco después el mítico seductor entre en su cuarto, nadie se sorprenderá. Si es una sombra, una creación de la imaginación obsesa, será inútil tratar de combatirla con las armas de la razón. En el apartado siguiente, la identificación entre Paris y la sombra queda definitivamente establecida. El uno y la otra son un mismo ente; un ente inmortal que no tiene nombre o puede tener cualquiera, según la circunstancia y el lugar en que aparezca. He aquí lo que dice la voz, hablando de sí misma: «Me he resuelto a no llevar nombre fijo; así es que me llamo Paris, Egisto, Norris, Paolo, Buckingham, Beltrán de la Cueva, etc., según la tierra que piso y las personas con quien trato» (p. 211). Y si no lo dice es para el caso lo mismo, pues esto es lo que oye Anselmo, y este oír voces es lo que constituye su «caso», que va tomando cuerpo, y aumentando, en su desarrollo, la sensación de *suspense* que el lector experimenta. Claro está que el capítulo terminará con el ya habitual recurso de anunciar una aclaración —«voy a explicárselo claramente»—, que, por supuesto, se aplaza al apartado siguiente.

No sólo la novela está ordenada de manera que despierte y mantenga el interés, sino que el narrador mismo se impacienta con el balbuceo y las medias palabras. Desea ver cómo reacciona el protagonista al enfrentarse con la sombra: «Tengo curiosidad por saber cómo se porta usted delante de un adversario tan terrible... Yo le aseguro [dice Anselmo] que es enteramente distinto a lo que usted se ha figurado» (p. 215). Luego el personaje comprende que el narrador tiene también interés en saber lo ocurrido. Así el autor parece haber planteado un crucigrama en varios niveles: primero, al protagonista, que vive los acontecimientos; luego, al narrador, que trata de saber lo que pasó y acaba impacientándose por la cantidad de vueltas y tornavueltas que da la historia; por último, al lector, el más desamparado de todos, que no interviene en los hechos, ni los oye contar, y depende absolutamente de lo que quieran contarle y de cómo se lo cuenten; para llegar al desenlace no le queda otro camino que seguir leyendo.

El último capítulo se titula «Alejandro». De fijo, el lector se sorprenderá al leer un nombre hasta entonces no mencionado. ¿Quién es Alejandro? Para decírnoslo, el narrador recurrirá otra vez a la técnica del balbuceo, poniendo las palabras en boca del protagonista: «Ese joven, ese joven..., ése que viene aquí desde hace algunos días..., ese Alejandro no sé cuántos» (p. 223). La cosa no se aclara hasta la última página, en la que se identifica al tal Alejandro como «la verdadera expresión material de aquel Paris» (p. 231). Así se clausura el caso.

La obra podría continuar y responder a ciertos interrogantes del lector, que no acaba de ver claro. ¿Cuál fue el carácter de las relaciones entre Elena y Alejandro? Lo ignoramos. ¿No sería todo una manifestación del delirio de celos padecido por Anselmo? El narrador deja al lector el cuidado de contestar sus propias preguntas, si es que puede y quiere hacerlo.

Las obsesiones de Anselmo han ido manifestándose a un ritmo impuesto por la exigencia de mantener el misterio hasta el final. Nada se dice sin excitar primero la curiosidad del lector y sin hacerle esperar por una solución que se demora. No es casualidad que el habla de Anselmo caiga a veces en el balbuceo, pues ello es propio de quien más que expresarse lógicamente está tratando de dejar que se manifieste la parte del ser que llamamos subsconsciente. Las medias palabras con que el doctor trata de sacar a la luz su problema psíquico, dejan ver una falta de articulación verbal que se corresponde con la confusión mental en que el personaje se debate. Acaso lo más curioso sea que cuando todo queda aclarado, o parece quedar aclarado, el enigma de Anselmo y de su delirio continúe de algún modo latente en la imaginación del lector.

El narrador - testigo

A primera vista, la técnica de esta novela da una impresión de simplicidad desarmante. Mas al analizar los recursos narrativos puestos en juego se descubren en ella algunos que serán aplicados con desenvoltura y maestría en obras posteriores, como *La de Bringas* y *Fortunata y Jacinta*[9].

Desde la primera página, el narrador dirige nuestros pasos: «El que esto escribe tuvo el honor de penetrar en el estudio, gabinete o laboratorio del doctor Anselmo» (p. 196). Quien habla es, pues, narrador y testigo. Norman Friedman ha estudiado, en un artículo ya clásico, los diferentes tipos de narrador[10], y entre ellos el «yo, como testigo». Resumiendo y apostillando sus puntos de vista, trataré de aplicarlos a *La sombra.*

Ocho son los rasgos destacados por Friedman en el tipo de narrador a que me estoy refiriendo:

1. «El narrador-testigo es un *personaje con derecho propio dentro de la obra,* más o menos inmerso en la acción, más o menos relacionado con los personajes principales, que habla al lector en primera persona.» El de *La sombra,* amigo del protagonista, a quien visita en su casa; de sus labios oirá lo ocurrido y luego lo escribirá. El narrador es una persona bien definida, a quien el lector puede ver y con quien puede relacionarse de «tú» a «tú».

2. «El testigo *no tiene poderes extraordinarios de acceso al estado mental de los otros.*» El «yo-testigo» para saber necesita informarse, como el lector mismo. El de *La sombra* tiene que escuchar al doctor Anselmo para averiguar qué le ha ocurrido; no es omnisciente: sólo tiene conocimiento de lo que pudiera saber un ser humano normal. Carece de facultades extraordinarias, y así como nosotros ni aun de las personas que nos son más queridas y cercanas conocemos ciertas zonas ocultas, el narrador-testigo ignora los secretos de los entes con quienes convive y sólo poco a poco, de deducción en deducción y de inferencia en inferencia, puede llegar a entender algo de lo que les pasa. Si él fuera omnisciente sería difícil mantener el interés; en la novelita galdosiana, conocida la causa de la enfermedad de Anselmo, la narración tendría que basarse en otras premisas.

3. «El lector *sólo puede conocer los pensamientos, sentimientos y percepciones del narrador-testigo.*» Es consecuencia de la característica anterior; si el narrador no tiene poderes cognoscitivos extraordinarios, menos podrá tenerlos el lector, limitado a la información transmitida por aquél.

---

[9] Un estudio detenido de las técnicas narrativas de don Benito Pérez Galdós se halla en el libro de Ricardo Gullón, *Técnicas de Galdós,* Madrid, Editorial Taurus, 1970.

[10] Norman Friedman, en *art. cit.,* estudia diferentes tipos de narrador, y la influencia de ellos en lo narrado; y de este trabajo tomamos las características enumeradas y comentadas en este capítulo.

4. *«Lo que el testigo puede legítimamente transmitir al lector no es tan limitado* como a primera vista puede parecer.» El narrador no depende de una fuente única de información, y como ocurre en el caso que estudiamos, a lo que oye al protagonista, puede añadir, y de hecho añade, lo que saben y piensan otros pobladores del mundo novelesco. Cuando dice de Anselmo: «Opinión de loco rematado de que gozaba entre todos los que le conocían» (p. 19), trae al relato una opinión que, por arbitraria que sea, no deja de repercutir en su ánimo y seguramente en el del lector. Que ha buscado otros elementos de juicio se advierte en expresiones como la siguiente: «No hallamos en ninguno de los cronistas que han tratado de este hombre extraordinario datos que induzcan a creer que...» (p. 197).

5. *«El [narrador] puede tener entrevistas con el protagonista.»* En *La sombra* no sólo se entrevista el narrador con Anselmo, sino que esas entrevistas son la materia de que se compone la novela. En Galdós hallaremos ejemplos muy notables de este tipo de actuación. Lo que Anselmo dice, junto con las preguntas y comentarios del narrador, *son* la novela.

6. *«De cómo otros sienten y piensan el [narrador] puede extraer conclusiones.»* Nueva vuelta al tornillo. Corroboración concreta de la generalización expuesta en el apartado 4. Entre los datos proporcionados al lector es casi inevitable que se deslicen las conclusiones del narrador: «Contaban [de Anselmo] que hacía grandes simplezas, que era su vida una serie de extravagancias sin cuento, y que se atareaba en raras e incomprensibles ocupaciones no intentadas de otro alguno, en fin, que era un ente a quien jamás se vio hacer cosa alguna a derechas» (p. 194). El narrador no puede menos de resumir en una línea edificadora las opiniones ajenas, las noticias acumuladas en su inquisición sobre los hábitos y quehaceres del personaje, y al resumirlas las matiza, presentándolo más como hombre torpe y desafortunado que como loco, opinión de la mayoría.

7. *«El narrador-testigo nos informa de sus límites.»* A diferencia del omnisciente, este narrador sólo puede saber del pasado de sus personajes lo que sabría un amigo o un cronista. Conocedor de sus ignorancias, las hace patentes al subrayar lo mucho que no alcanza a entender, por falta de datos seguros. En *La sombra* reconoce que todo cuanto queda más allá de sus entrevistas con el doctor o de lo averiguado por medio de otros personajes cae fuera de sus posibilidades.

8. *«Las escenas son, en general, presentadas directamente, tal y como el testigo las ve.»* La historia del doctor la transmite el narrador según la fue escuchando; aunque al comenzar a escribir tenga

todos los datos en la mano, prefiere no descubrirlos de golpe, sino irlos transmitiendo en el orden en que fue averiguándolos, para dar al lector la sensación de inmediatez, y presencia que produce hablar del pasado como presente, situando a quien escucha en el momento en que los hechos van aclarándose y haciendo que participe, siquiera sea por representación, en el descubrimiento de la verdad.

El testigo y el autor implícito

En resumen, en *La sombra* habla un personaje, un yo-testigo, y, como tal, no-omnisciente. La dramatización impuesta por quien cuenta supone una serie de ventajas y algunas desventajas; por un lado, el autor debe eliminarse de la obra (lo cual no quiere decir que su presencia no se advierta), y deja que el narrador, en cuanto «centro de conciencia», se limite a contar lo que pueda saber; por otra parte, lo narrado gana así en objetividad y el mundo de la ficción parece algo más limitado y, desde luego, más real.

Si recordamos nuestra primera lectura de la obra, quizá pensemos que no nos produjo la impresión de que el autor buscase la objetividad; el elemento fantástico, casi siempre alejado de la realidad, se la niega. Y digo casi siempre recordando que cada día vemos cómo se hacen realidad las fantasías de *1984* y de algunas otras antiutopías.

Obviamente, si el narrador es un personaje, alguien tiene que haberle creado, y de modo relativo puede decirse que servirá los fines —siquiera creativos— de ese alguien. Tras el escenario es posible que se asome de vez en cuando el rostro del autor, manipulador del narrador y acaso dueño de los destinos novelescos. Ese ser semioculto fue llamado por Wayne C. Booth «autor implícito», aportando así algunas novedades al estudio de las técnicas narrativas y a los problemas del punto de vista en la novela [11]. El autor implícito no debe ser confundido con la persona del autor [12], don Benito Pérez Galdós; es una versión del autor, un «segundo yo», como lo denomina Kathleen Tillotson [13], creado para representar al primero. En otras palabras, y refiriéndonos a *La sombra,* el autor implícito es una figura inquisitiva, curiosa, interesada en lo que pasa y todavía más en por qué pasa. No es difícil advertir su presencia: él es quien corta la narración cuando lo cree conveniente, para suscitar o aumentar el interés del lector; él es quien entre todas las formas posibles de

---

[11] Véase nota 4.

[12] Patrick Cruttwell, *Makers and Persons, Hudson Review,* Winter, 1959-60, pp. 487-507. Establece las diferencias entre el autor real y el que se crea en las obras.

[13] Kathleen Tillotson, *The Tale and the Teller,* London, 1959, p. 22.

contar escoge una: contar la historia al revés. Y estas intervenciones son las que, a mi juicio, atenúan la impresión de objetividad que el narrador-testigo, por su natural consistencia, tiende a producir.

Advertir al autor implícito es más fácil cuando el narrador está dramatizado, como aquí ocurre. Pues si éste no tiene mucha vida propia como personaje, sí tiene un carácter definido de persona sensata. A la vista de lo dicho, y sin desviarme de nuestro camino, puedo deducir rápidamente la siguiente conclusión: los métodos de presentación, por objetivos que sean, nunca pueden ocultar por completo la voz del autor.

Pero aunque la objetividad absoluta no se logre, puede al menos conseguirse que lo narrado tenga visos de credibilidad, como consecuencia del buen uso de un narrador-testigo. En *La sombra* él es quien lo filtra todo, incluso lo dicho por Anselmo, que figura entre comillas. No es una historia contada al alimón, pues entonces lo que ambos dijeran tendría el mismo valor, y la novela parecería un cuento fantástico contado por dos locos, sino que el narrador pone una cierta distancia entre él, persona cuerda, y el doctor enajenado. Para distanciarse apostilla aquél con ironía las fantasías del buen don Anselmo; por la ironía ambos llegan a ser personajes autónomos, fácilmente diferenciables. Harriet S. Turner dice: «Es obvio que Galdós [en esta novela] dista de ser un narrador omnisciente. Duda y asombro caracterizan su actitud, y también deferencia y respeto; después de todo, Anselmo está mejor calificado para decir su historia que el autor [...] y para permanecer en control de [ella]» [14]. No es tanto Galdós como el narrador quien aquí cuenta. Y respecto a quién tiene en su mano la fábula, según es contada, conviene recordar que, sin la intervención y organización del narrador, la novela hubiera sido una historia fantástica, y no más, cuya verosimilitud estaría supeditada a las vueltas y revueltas de una imaginación, girando sobre sí misma. La creación de un narrador con «status» de personaje fue necesario para encauzar la comunicación, así como para graduar el efecto que el paulatino descubrimiento del enigma de Anselmo debe producir en el lector.

La distancia se establece, en primer lugar, por los contrastes señalados al hablar de la estructura, útiles para crear *suspense* en torno a la personalidad del doctor, para atraer al lector al campo del narrador y hacerle simpatizar con un hombre a quien la gente tiene por loco. «Cuando el que esto escribe tuvo el honor de penetrar en el estudio, gabinete o laboratorio del doctor Anselmo, su asombro fue grande, y no podrá menos de confesar que, mezclado al asombro, sintió cierto terror, sólo calmado por la idea de que aquel

---

[14] Harriet S. Turner, «Rhetoric in *La sombra:* The Author and His Story», *Anales Galdosianos,* VI (1971), p. 10.

hombre era el más afable e inofensivo de los seres» (p. 196). El que cuenta pretende comunicar una impresión análoga a la que sentiría cualquier mortal; sabe que el tipo es un alma de Dios, pero no puede menos de sentir miedo, lo cual es humano y le sitúa al nivel del lector; éste asimila la información y, como es inevitable, la contrasta con cuanto sabe del personaje, que a estas alturas ya es mucho.

Para describir físicamente a Anselmo se dice: «Era un viejo mal conservado, flaco y como enfermizo, más bien pequeño que alto, con uno de esos rostros insignificantes que no se diferencian del del vecino, si una observación formal no se fija en él con particular interés» (p. 197). El narrador sigue llevándonos a su campo, en cuanto presenta lo insignificante como significante. Los demás pueden ver a Anselmo sin advertir nada de particular, pero al lector se le ha hecho notar que por eso mismo puede ser digno de atención. Es curioso comprobar que ya en esta obra dominaba Galdós la técnica de identificar las casas con sus habitantes acomodando espacio y personajes. La fachada de la casa de Anselmo se le parece: «Al exterior no aparentaba nada de notable, pues no era más que un caserón de éstos que han quedado en Madrid del siglo pasado. Interiormente estaban todas sus maravillas» (p. 202). Así es Anselmo, insignificante su rostro, hasta el punto de que nadie se fijará en él, pero su cerebro funcionará como máquina de portentos.

Mientras el narrador va interesando al lector y mostrando en sucesivos contrastes que el personaje no es lo que parece, va también distanciándose de éste al ceder a una constante y fina burla de la trágica locura en que le ve perdido. Cuando describe los objetos que abarrotan la habitación de Anselmo, no puede rehuir la tentación de decir una broma: «No lejos de esto pendía una armadura tan roñosa como si desde el tiempo de Roldán (su dueño tal vez) no se hubiera limpiado» (p. 195). La burlesca atribución de la armadura sólo puede ir dirigida al lector, y sugiere el tono y la postura a adoptar: «Nunca se hacía de rogar, y lo que contaba era por lo común tan peregrino que muchos juzgaban todo pura invención de su fantasía» (p. 196). Ese «muchos» no es defensa suficiente para ocultar a quien utiliza el adjetivo «peregrino»; el narrador nos hace un guiño que es un juicio sobre las cosas contadas por el doctor. Con técnica muy cervantina, ironiza un poco al señalar la diferencia entre la realidad y el modo como el personaje la ve: «Risa causaba oírle describir su palacio, que a ser como él decía no tendría igual en los más florecientes tiempos del arte» (p. 201). Destaquemos el dato: hasta risa causa lo que el personaje dice, señal de incredulidad en quien escucha. Y alguna vez, dejándose de atenuaciones verbales y de fórmulas indirectas, el narrador confiesa que está burlándose: «Terribles fuerzas tiene usted —dije irónicamente—, reparando cuán poca semejanza había entre mi desdichado amigo y el tipo que de

Sansón nos hemos figurado» (p. 207). «Irónicamente», y lo pone entre paréntesis para destacar el modo de hablar.

Harriet S. Turner cree que la personalidad de Anselmo «posee una fuerza contagiosa que confunde y altera las percepciones sensoriales de Galdós» [15]. Pero, en mi opinión, no ocurre eso, ni siquiera cuando el narrador confiesa su interés por lo contado: «Algún interés», curiosidad, sí; identificación, no. Veamos: «Aquella noche no pudo continuar el doctor su curiosa narración que, a fuerza de extravagante, me había inspirado algún interés. Ya deseaba saber cuál sería la hazaña final del travieso héroe de la antigüedad, que se propuso quitar el juicio a mi pobre amigo, si es que alguno tenía» (p. 220). El narrador sigue siendo como es, como era; prueba de su autonomía y de su independencia de criterio es el hecho de que sea capaz de calificar la historia de «extravagante», añadiendo, a propósito del juicio de Anselmo, «si alguno tenía». Lo de llamar travieso al héroe de la antigüedad, que tantos estragos había causado en la mente de Anselmo, es cosa que no podría ocurrir si se hubiera identificado con el pensar y el sentir de éste.

Vemos, pues, la acción desde una perspectiva no omnisciente, pero sí adecuada. Debido a la distancia entre narrador y personaje, conseguida gracias al barniz irónico que recubre las inauditas peripecias de Anselmo, el relato parece verosímil, aceptable como tal relato. Al mismo tiempo, lo moderado de la ironía nos mantiene del lado de acá del esperpento; podemos entender la locura de Anselmo como una realidad dramática y sentirle libre en su enajenación, pues si es verdad que como enajenado no se pertenece, también es cierto que será su delirio, y no el autor, quien lo mueva y nos conmueva.

La presencia del narrador, en algunos momentos, llega a ser agobiante; se convierte en un amiguete del lector, siempre dispuesto a anticipar su opinión, a veces indeseada. La razón para que esto ocurra no es que no pueda dejar a Anselmo que hable por sí, ya que cuenta lo que a su vez le oyó, sino que le encanta ser quien seleccione y ordene; le gusta ser quien novele y haga interesantes los hechos.

Al escribir *La sombra,* Galdós estaba ya en situación de entender el valor de una retórica de la ficción capaz de utilizar elementos procedentes del folletín, del mito y de la novela costumbrista. Integrándolos en una combinación armónica que atrajo, sin duda, al lector por la mezcla de imaginación «realista» y de fantasía que no solía lograrse en las invenciones que por entonces circulaban en España. Aún le faltaba mucho, sin embargo, para lograr la perfección a que llegaría en las novelas «contemporáneas», como calificó a las de su segunda época.

---

[15] *Ibid.*

CAPITULO V

TRES NARRADORES EN BUSCA DE UN LECTOR

«TORMENTO», PERTENECIENTE A UN CICLO

En la primera línea de *Tormento* encontramos dos viejos conocidos de *El doctor Centeno,* a quienes habíamos dejado en la última página de esta novela: don José Ido del Sagrario y Felipe Centeno. Ha transcurrido algún tiempo. En seguida sabremos lo que ha sucedido en el «interim». Los propios personajes lo cuentan. Vemos así la intención del autor de tender un puente entre una novela y otra, de que la historia continúe. Robert Ricard afirma categóricamente que no puede hablarse de una continuación [1], lo cual no es del todo exacto. Preguntémonos por un momento, aun a riesgo de parecer ingenuos, cuál es la base de la novela; para responder sigamos a E. M. Forster [2]. Lo fundamental es la fábula, y que ésta se desarrolle en el tiempo; es decir, que los episodios tengan una trabazón sucesiva y orgánica. Estos dos elementos —tiempo y fábula—, amén de muchos otros, operantes también en la novela, resultan fundamentales en todo ciclo novelesco; en cada uno de sus componentes han de aparecer algunos personajes comunes que vinculen las diferentes partes del ciclo. En *El doctor Centeno, Tormento* y *La de Bringas* no sólo puede hallarse continuidad argumental, sino sucesión temporal, así como la participación en un espacio de los mismos entes ficticios.

Pueden, sin embargo, ser leídas como novelas autónomas, pues la trama es diferente en cada una y la relación entre los elementos que componen la estructura cambia también. Tenemos así a *Tormento,*

---

1 ROBERT RICARD, *Aspects de Galdós,* Paris, Presses Universitaires de France, 1963, p. 49: «Néanmoins *Tormento* n'est pas à propement parler la suite de *El doctor Centeno,* et une comparaison faite sous cet angle ne mènerait à rien de solide.»

2 E. M. FORSTER, *Aspects of the Novel, ed. cit.,* p. 30: «The basis of a novel is a story, and a story is a narrative of events arranged in time sequence.»

situada en un ciclo y como novela independiente, con estructura propia[3].

Estructura enmarcada

Entiendo por «estructura enmarcada» aquélla en que la acción aparece situada entre fragmentos narrativos o dramáticos, que vienen a ser alusiones, comentarios o referencias a ella, pero que no la hacen progresar. En *Tormento,* la acción está enmarcada de dos maneras relacionadas entre sí, como la uña y la carne. Comienza la obra con un diálogo entre Felipe Centeno y don José Ido del Sagrario; se cierra con uno entre estos mismos personajes y con otro entre Rosalía Bringas y su marido.

El primero no sólo tiene los mismos interlocutores que el último de *El doctor Centeno,* sino que, como en aquél, uno de los temas que en él se tocan es la presentación de Ido como novelista. De maestro pasa a poeta y, más concretamente, a escritor o fabricante de folletines: «Yo —dice— he de hacer un ensayo en esta cosa bonita y cómoda de novelar. Ya tengo pensado un principio, que es lo que importa.» A esta declaración responde Centeno ofreciéndole su cooperación en la tarea noveladora, precisamente para que escriba la novela que el lector acaba de leer.

En el último diálogo entre ellos todavía sigue Ido pensando en un final «poético», pero Centeno le desengaña sin andarse con rodeos: «No sea memo —le dice—. Todo sucede al revés de lo que se piensa.»

Entre diálogos oímos a un narrador, personaje y testigo, de características similares al de *La sombra;* mientras que en aquéllos se percibe la mano del autor implícito. El transcribe los diálogos, y al hacerlo se da a conocer como el ser omnisciente que decide, por una parte, dar continuidad a la novela anterior, proyectándola en esta charla inicial entre Ido y Centeno, y, por otra, cercarla con los diálogos que la configuran.

Conviene aclarar el empleo del término autor implícito en relación a *Tormento.* En el capítulo precedente denominé así al ente

---

[3] Un hecho externo a la creación que afirma nuestra tesis se puede hallar en la opinión de la crítica francesa de la época, que entendía las obras de don Benito como partes de una *Comedia humana.* H. Chonon Berkowitz, en *Benito Pérez Galdós: Spanish Liberal Crusader* (Madison, The University of Wisconsin Press, 1948), dice: «There was little likelihood of his immediate reform, however, especially since French critics who commented on *Tormento* and *La de Bringas* generously granted him the right to aspire to the title of Balzac of Spain and it was common knowledge that Galdós professed inordinate admiration for the author of the *Comédie Humaine* and had almost pathological craving for recognition in France» (p. 217).

organizador de la novela, al encargado de imponer orden (sin dejarse ver) en la secuencia narrativa, tarea que en *La sombra* quedó cumplida con destreza y acierto. La imagen del autor apenas se reducía a la de un hábil manipulador de la mecánica novelesca, que utilizando técnicas sencillas y bien calculadas lograba interesar al lector.

En *Tormento* intuimos la presencia de una modalidad distinta de autor implícito, muy de otro tipo, aunque pertenezca a la misma familia. Se diría que desde algún punto del espacio alguien recoge literalmente, como si los transcribiera de una cinta magnetofónica, los diálogos que sirven de marco, y si así fuera su tarea resultaría puramente mecánica. Pero si leemos atentamente no tardaremos en descubrir que su función es de mayor alcance; no sólo pone en marcha el magnetófono y lo apaga cuando se le ocurre, sino que en las acotaciones informa de la actitud y del tono de los hablantes. Suyo es el tono irónico, manifiesto en pequeños detalles, y en el desenlace o desenlaces de la novela. Un buen ejemplo de cómo deja su huella en lo menudo se registra en la observación de que Ido babea al hablar (p. 9)[4]; luego, al desencadenarse la verborrea del folletinista, se expresa con gráfica metáfora lo incontenible de esa locuacidad: «Rompe el último dique puesto a su locuacidad» (p. 11); dique —se supone— que no sólo contenía su silencio, sino su baba. Ironía de amplio alcance, por sus implicaciones, es la perceptible en el último diálogo, cuando Rosalía Bringas se queja de que Agustín haya marchado con Amparo, sin estar casados. La trascendencia de esta queja sólo lo advertirá el lector que lea también *La de Bringas* y vea a Rosalía mucho más dispuesta a infringir las normas morales de lo que jamás lo estuvo Amparo.

Este tipo de ironía permite diferenciar mejor al autor implícito del narrador, puesto que su eficacia depende del conocimiento que aquél tiene de toda la novela y de su organización, conocimiento que al narrador le está vedado. Al lector se le presenta la imagen del autor como la de alguien que está en la novela, aunque no se le vea; alguien que selecciona y ordena, decide qué escena será contada y cuál omitida, cuándo el narrador interviene y cuándo calla. Eliminarlo por completo es imposible y acaso tampoco convenga.

De esta primera manera de enmarcar se deriva otra. Tres son las novelas contenidas en la estructura. Una, la escrita por el autor implícito, de la que Ido es personaje; otra, la escrita o imaginada por Ido, anticipándose a la tercera, que a su vez redacta el narrador desmemoriado. El centro de conciencia es el narrador, pero la novela

---

[4] Benito Pérez Galdós, *Tormento,* Madrid, Alianza Editorial, 1968, p. 111: «Si no me engaña la memoria.» Todas las citas siguientes de esta novela se indicarán dando el número de la página a continuación.

total incluye, además, los puntos de vista del folletinista y del autor implícito. De la novela de Ido sabemos gracias al autor implícito, situado en una perspectiva que le permite ver no sólo lo que él cuenta, sino lo que cuentan los demás. Cuando el narrador desmemoriado, que también es personaje, dice en el capítulo cuarenta que Ido y Centeno, en el cuarto inmediato al despacho de Agustín Caballero, «se comunicaban sus impresiones sobre los sucesos», interviene el autor implícito para transmitir como recogida por la «cámara-micrófono» una conversación, a cuya función enmarcadora antes me referí.

Narración a tres voces: su función

La estructura enmarcada sirve para dar, mediante un rodeo, sensación de absoluta objetividad, porque la diversidad de puntos de vista es consecuencia de que se informa sobre los acontecimientos desde dentro —narrador—, desde el medio —Ido del Sagrario— y desde fuera, en los diálogos enmarcadores —autor implícito—. Limita, además, el subjetivismo del narrador omnisciente y permite al lector «formarse» idea, por sí mismo, de lo que está pasando y del porqué de cada cosa.

La transformación del narrador en narrador-personaje, al situarlo en el plano novelesco, hace que sus dichos se acepten como testimonios de quien es idéntico por naturaleza a los seres cuya crónica escribe: una ficción dentro de la ficción. Sus inseguridades ayudan a caracterizarle como testigo, no como hacedor. Y el resultado de la eliminación del subjetivismo es que los entes de ficción no sólo parecen más libres, sino más convincentes, con fuerza propia, como veremos ejemplificado en Centeno.

El lector queda así situado ante diferentes puntos de vista y a diferentes distancias de la novela: según va siguiendo las narraciones que se le ofrecen, se coloca a distancias variables de lo narrado, según de quien sea la mano que lo lleva. El narrador participa de algún modo en la acción, como amigo de don Francisco Bringas: Ido del Sagrario imagina su novela partiendo de los datos de la realidad, desde el punto de vista del folletinista profesional, aunque no está dentro de la acción, sino en su marco. El autor implícito se encuentra más alejado de lo contado, pues no tiene ningún contacto sentimental con la acción.

Si recordamos el ejemplo puesto por Ortega y Gasset en *La deshumanización del arte* para explicar el concepto de distancia, donde una mujer, un médico, un reportero y un pintor asisten a la agonía del hombre ilustre, y lo comparamos con *Tormento,* sorprende la similitud entre las figuras galdosianas y las imaginadas por Ortega: el narrador, el folletinista y el autor implícito se encuentran más o menos a la misma distancia de la fábula que el médico, el periodista y el pintor de la viñeta orteguiana. Es como si en la práctica el autor de *Tormento* se hubiera adelantado cuarenta años al teórico [5].

La diversidad de planos da la impresión de que la novela tiene huecos, producidos por los cambios en el espacio que provocan los narradores, al no contar todos desde el mismo plano. En algunas obras, estos huecos son puntos muertos, pero no en ésta, pues, como veremos más adelante, se reserva al lector la misión de llenarlos. Ido se propone llegar muy lejos, lejísimos, a las nebulosas de su imaginación. Desde allí puede verse una novela completa, la que comienza en su diálogo con Felipe:

«Ido del Sagrario: Como te decía, he puesto en tal obra dos niñas bonitas, pobres, se entiende, muy pobres, y que viven con más apuro que el último día de mes...» (p. 11).

Se identificará a estas niñas con las que aparecen en la novela del narrador. En el mismo diálogo leemos:

«Ido del Sagrario: 'Señoritas Amparo y Refugio'. Si son mis vecinas, si son las niñas de Sánchez Emperador...

Aristo [Felipe]: ¿Las conoce usted?

Ido del Sagrario: ¡Si vivimos en la misma casa: Beatas, cuatro; yo, tercero; ellas, cuarto! ¡Si en esa parejita me inspiro para lo que escribo!... ¿Ves, ves? La realidad nos persigue. Yo escribo maravillas; la realidad me las plagia» (p. 13).

El narrador-personaje invita al lector a participar en una acción ocurrida hace dieciséis años (p. 15), y que él ahora recuerda. Esto es otra novela, «la novela realista» [6], donde se cuenta el «caso» por entero. El lector tendrá una visión por completo diferente de la de Ido. Se pretende dar impresión de realidad, por acumulación y contraste.

El autor implícito impone otro cambio en la distancia y en el tiempo: presenta la acción principal como si estuviera sucediendo en el momento de contarla, utilizando para ello los diálogos a que ya me referí más arriba; al ser leídos dan la impresión de que están siendo mantenidos entonces. Es la puesta en escena de la obra.

---

[5] José Ortega y Gasset, *La deshumanización del arte,* Madrid, «Revista de Occidente», 1960, pp. 13-15.

[6] Gustavo Correa, *Realidad, ficción y símbolo en las novelas de Pérez Galdós,* Bogotá, Publicaciones del Instituto Caro y Cuervo, 1967, p. 85: «Por otra parte, *Tormento* representa la cristalización de una fórmula de novela (la novela 'realista'), que se halla ejemplificada en una historia realmente sucedida, o que, por lo menos, tiene la apariencia de real, y que, en cuanto tal, se destaca en contraste significativo con los empeños novelescos de José Ido del Sagrario.»

El lector y la ironía

El lector es parte de las novelas de Galdós; se le incluye en ellas, dando por supuesto no sólo que está enterado de los acontecimientos, sino que se interesa en ellos y va formando juicio sobre lo que está pasando y sobre las consecuencias de cuanto los personajes dicen y hacen. Por supuesto que esto no ocurre sólo en *Tormento.* Por citar un ejemplo, mencionaré el muy conocido de *Fortunata y Jacinta,* donde el narrador recoge «la maliciosa versión» de que los tres hermanos Rubín pudieran ser hijos de diferentes padres. «Podía ser calumnia, podía no serlo, pero debe decirse para que el lector vaya formando juicio» [7]. Es corriente que el narrador galdosiano aclare la razón por la que menciona tal o cual detalle, que no sería imprescindible para la buena marcha de la narración; así acontece en el mismo pasaje de *Fortunata y Jacinta,* donde, después de informarnos detalladamente sobre los tres hermanos, advierte el narrador que lo hace «para que se les vaya distinguiendo».

El lector, pues, será el llamado a integrar los diversos elementos que componen la novela y a darles sentido. Por eso los narradores dialogan con él y solicitan su aprobación o censura, por encima del hombro de los personajes. Se establece una curiosa asociación entre el novelista y el lector, producida probablemente por el paralelismo en las situaciones, vis à vis de la peripecia y de los personajes novelescos. A medida que lee y se entera de lo que está pasando, el lector es atraído por el novelista, y como invitado a sustituirlo, a ocupar su lugar y a llenar él mismo esos huecos, tiempos muertos, que no son tales, pues el propio lector suplirá imaginativamente lo que en ellos se calla, influido por lo que los narradores han contado. Es decir, los huecos son prefabricados y el lector los llena, pero recordando lo ya leído; él será, por tanto, quien atando los cabos que el novelista proporciona concluya o redondee la novela. Así dirá el narrador de *Tormento:* «La impresión que estas revelaciones hicieron en el confiado amante pueden suponerla cuantos le conozcan por estas páginas.» El novelista da entrada al lector para que «suponga» y, con sus hipótesis, dé forma definitiva a la novela.

Y ¿cómo es la novela que se le ofrece al lector? Irónica. *Tormento* es una muestra admirable de la ironía galdosiana. La ironía surge por contraste entre lo que sucede y lo que va a ocurrir en cada una de las tres «novelas». En la de Ido, primeramente vemos a Amparo y a Refugio como encarnación de la «virtud triunfante», ence-

---

[7] Benito Pérez Galdós, *Fortunata y Jacinta,* Madrid, Hernando, 1959, II, pp. 7-8.

rradas en su casa: «una tacita de plata». Esto se dice en el diálogo inicial, pero al final el folletinista ha cambiado de opinión: Amparo ha cometido «una gran falta» y en vez de hablar de «virtud triunfante» se habla de cuán «grande ha sido la falta» (p. 245); la «tacita de plata» se ha convertido en «lupanar» (p. 245). Como siempre, el cambio de metáfora proporciona una nueva percepción de la realidad.

El narrador-personaje pondrá dos finales a la novela. Amparo toma un veneno; el lector cree que lo ha injerido, pero el diligente Felipe Centeno, sospechando lo que podía ocurrir, se anticipó y cambió el veneno por unos polvos contra el dolor de muelas. Vemos cómo la muchacha fallece; el narrador llega a decir: «Se desmaya, se duerme, se muere...» Continúa su novela; creemos que Amparo ha muerto, pero no es así. Se descubre el engaño. Felipe Centeno, el muchacho que tan importante papel desempeñó en la novela anterior de este ciclo, retoma el título de «doctor», y se convierte por un momento en el centro de la acción, en la fuerza que altera el destino de la protagonista. Al cambiar el veneno por los polvos calmantes, impone un final de «rebote», que desorienta al narrador; éste cree a Amparo muerta, cuando no lo está. El bienintencionado Felipe, con su agudeza natural, hace que la novela tenga ese otro desenlace, el que llamamos de «rebote», y el narrador se encuentra así con un final feliz. Agustín perdona a Amparo y ambos parten para Francia: «Un tren que parte es la cosa del mundo más semejante a un libro que se acaba. Cuando los trenes vuelvan, abríos, páginas nuevas» (p. 251).

Y aún falta el doble epílogo del autor implícito. Acabamos de ver que el narrador piensa que la partida del tren es, literal y simbólicamente, el final de la novela[8]. Se engaña: todavía queda el último diálogo enmarcado y dos epílogos. En esta escena —la verdad postrera— vemos cómo Francisco Bringas engaña a su mujer, diciéndola que se había indignado con su primo por la desvergüenza de marchar a Francia con Amparo. El lector sabe que no se enfadó ni poco ni mucho. Este es el primer epílogo. Aún hay otro, el más irónico, que se desarrollará en la siguiente novela, *La de Bringas:* Rosalía, tan indignada por la fuga de Amparo y Agustín Caballero, trescientas páginas después, al final de «su» novela, caerá en la mayor de las indignidades: el adulterio por dinero.

¿Cómo surge la ironía? A cada novela se le ha puesto un final convencional. A la de Ido: el de «la virtud triunfante»; a la del narrador: el suicidio de Amparo; a la del autor implícito: la indignación de la de Bringas. Pero los finales «son irónicos a la luz de lo

---

[8] JOAQUÍN CASALDUERO, «El tren como símbolo: el progreso, la clase social, la cibernética en Galdós», *Anales Galdosianos,* V (1970). Véase este curioso estudio del maestro CASALDUERO, en el que estudia la función del tren en la obra de don BENITO.

que va a suceder». El de Ido, porque no hay virtud, ni posible triunfo de ella; el del narrador, porque Amparo toma los polvos analgésicos en vez de injerir el veneno, y el del novelista, sobre todo, porque Rosalía Bringas, tan indignada por la inmoralidad de Amparo y Agustín, en la novela que lleva su nombre, acabará paseando «majestuosamente» una inmoralidad mucho más grave. En la novela de Ido se pasa de ver la casa de Amparo como «tacita de plata» a calificarla de «lupanar»; en la del narrador, con el final de «rebote», damos primeramente por muerta a Amparo y luego la vemos partir feliz con Agustín Caballero.

Los tres narradores buscan un lector en quien, a través de la lectura de la novela total, cristalice la novela *Tormento.* A cargo del lector queda recrear la ironía y el lenguaje imaginístico de la ficción, puesto que la imagen dice una cosa al que la crea y otra distinta a quien la recrea. Lo que Cortázar busca en *Rayuela* (1963), un «lector activo», un «lector cómplice», ya lo estaba buscando Galdós desde —por lo menos— 1881, en *La desheredada.* En *Tormento* la cosa está muy clara, aunque «las guiñadas del ojo» [9] de que se habla en la obra de Cortázar sean aquí menos descaradas. Lo que en *Rayuela* es ostensible y declarado, en Galdós se recata y va por dentro, disimulado en el tono menor y en lo conversacional de la narración. Después de todo, Morelli, el novelista de *Rayuela,* es un aspirante a genio, mientras que don José Ido no pasa de ser un folletinista de mala muerte (y de mala vida).

¿Qué ha cambiado en las técnicas narrativas de Galdós en los años que separan *La sombra* de *Tormento*? Bastante. Pudiera decirse que inicialmente la paleta del autor era más limitada y su mano menos diestra en el manejo del pincel; con el tiempo, su paleta se enriqueció y, en vez de limitarse a los colores primarios, aprendió Galdós a servirse de una gama mucho más rica, de matices más finos y variados.

El narrador de *La sombra* pecaba de imperioso en sus apelaciones al lector; apenas le dejaba espacio de maniobra. Al de *Tormento,* por el contrario, se le estimula, se le pide que colabore, si no en la escritura, sí en la creación, mediante una lectura inteligente y acaso irónica también. La relación autor-lector es ahora algo distinta: el primero transmite una información, noticias sobre gentes y sucesos, pero esas noticias, codificadas por un narrador irónico, sólo serán entendidas si el lector puede descifrar el código; es decir, si las percibe en contexto. Jakobson ha mostrado que a los factores constitutivos del proceso lingüístico (hablante-mensaje-destinatario) es necesario añadir el código y el mensaje: «Para ser operante, el mensaje

---

[9] JULIO CORTÁZAR, *Rayuela,* Buenos Aires, Editorial Sudamericana, 1966, pp. 452, 501, 544.

requiere ante todo un contexto al que remite (es lo que, con terminología un poco ambigua, se llama también 'referente'), contexto captable por el destinatario» [10]. Ese contexto, según hemos visto, no es en *Tormento* el de la narración del narrador-personaje, sino el de la novela enmarcada por el autor implícito y duplicada por el folletín que Ido imagina.

Se diría que al renunciar a las fantasías de *La sombra,* la imaginación de Galdós halló nuevas maneras de abrir al lector las puertas del mundo en que deseaba verle entrar. La complicación en la estructura narrativa le acercó a la realidad, si por ésta se entiende, como piensa Ian Watt, «las variedades de la experiencia humana». Y decimos realidad, aunque para ser más precisos pudiéramos decir realismo, calificado, según lo hace el crítico inglés, «no por la clase de vida que se presenta, sino por el modo como la presenta» [11]. Lo que, en definitiva, corrobora lo dicho: nuevas técnicas producirán un nuevo tipo de novela. La influencia de estas técnicas sobre el tema dará por resultado obras de mayor complejidad. El tema dará de sí más de lo que en otras circunstancias se hubiera podido suponer que diera y los personajes tendrán una densidad que los hará parecer más complicados y ambiguos y, por lo tanto, más cercanos a los seres reales. El capítulo siguiente nos hará ver todavía con mayor claridad cómo las nuevas técnicas contribuyeron al enriquecimiento de la novela.

---

[10] ROMAN JAKOBSON, *Essais de linguistique générale,* París, Minuit, 1963, p. 214.

[11] IAN WATT, *The Rise of the Novel,* Los Angeles, University of California Press, 1957, p. 11: «The novel's realism does not reside in the kind of life it presents, but in the way it presents it.»

CAPITULO VI

MILAGRERIAS DEL NARRADOR

Aproximadamente treinta años después de *La sombra,* en 1897, Galdós publicó la novela que me parece la más misteriosa de cuantas escribió: *Misericordia.* Misteriosa, porque su meollo —la aparición de un personaje inventado por otro personaje— resiste toda explicación, obligándonos a la aceptación, pura y simple, del hecho. Galdós no juega aquí con los múltiples matices de lo «real» y lo «ficticio», componiendo un complicado cuadro de tipo unamuniano, como el presentado en *Niebla*[1]; nos está llevando más allá de nuestras creencias y opiniones sobre lo real y lo ficticio y su consiguiente relativismo, a una situación poco frecuentada por él: el milagro. Pues en *Misericordia,* a pesar de su realismo, irrumpe el milagro.

La palabra misma, «milagro», no deja de disonar en el contexto crítico, en el análisis de una novela denominada realista. Pertenece más bien al vocabulario religioso, pero su presencia en la novela —no como palabra, sino como hecho, y en ello está el *quid* de la cuestión— obliga a tenerla en cuenta. ¿Cómo se introduce el milagro en la novela? ¿De qué manera lo percibe el lector? Estas preguntas sobre el cómo me llevan a seguir con los interrogantes: ¿Quién es responsable de su aparición? Y ¿de qué manera lo experimentan los otros participantes de la experiencia literaria llamada «novela»: autor, narrador y personajes?

Puesto que el punto central de *Misericordia* es, a mi juicio, la producción del milagro (la aparición de don Romualdo) con las consecuencias que de él se desprenden, quisiera estudiar cómo el narrador (el quién) y las técnicas narrativas (el cómo) permiten

---

[1] Muy bien estudiado por RICARDO GULLÓN en *Autobiografías de Unamuno,* Madrid, Editorial Gredos, 1964, pp. 80-116. Según el crítico, lo que en *Niebla* hallamos es un caso de duplicación interior: el autor, MIGUEL DE UNAMUNO, se duplica en el novelista VÍCTOR GOTI y el personaje AUGUSTO PÉREZ en el protagonista de la novela que GOTI está escribiendo. Todos, incluso UNAMUNO, son a su vez criaturas imaginadas por el novelista.

que un fenómeno aparentemente foráneo ocurra y se ajuste a la estructura novelística, sin violentar en nada el ambiente «realista» creado por Galdós.

El narrador

Flexible sobre todo, el narrador de *Misericordia* es quien nos transmite el mundo novelesco y los personajes (salvo el caso chocante de don Romualdo). Al seguirle por los ambientes harto distintos de la novela, el lector aprecia bien esta cualidad típicamente galdosiana, la flexibilidad; gracias a ella advertimos que una fachada fea a primera vista puede tener cierta gracia (p. 1877)[2]; que el lenguaje vulgar y «ordinario» de los mendigos puede tener gran fuerza expresiva (p. 1880); que el habla deformada de Almudena no puede ser reducida, ni casi ser traducida al lenguaje corriente[3]. Estos ejemplos y otros que se podrían citar muestran que el narrador es capaz de presentar con gran habilidad el objeto de su interés.

La presentación de Benina es quizá el mejor ejemplo de su aptitud para extraer de la materia su íntima belleza, transmutación estética que realiza sin desviarse de la descripción realista o literal. Aunque el pasaje sea extenso, citémoslo para ver cómo, mediante la utilización de recursos muy sencillos, el personaje empieza a vivir:

> Tenía la Benina voz dulce, modos *hasta cierto punto* finos y de buena educación, y su rostro moreno *no* carecía de *cierta* gracia interesante que, manoseada ya por la vejez, era una gracia borrosa y *apenas perceptible. Más de la mitad* de la dentadura conservaba. Sus ojos, grandes y oscuros, *apenas* tenían el ribete rojo que imponen la edad y los fríos matinales. Su nariz destilaba *menos* que las de sus compañeras de oficio, y sus dedos, rugosos y de abultadas coyunturas, *no* terminaban en uñas de cernícalo. Eran sus manos como de lavandera, y *aún* conservaban hábitos de aseo. Usaba una venda negra bien ceñida en la frente; sobre ella pañuelo negro, y negros el manto y vestido, *algo mejor* apañaditos que los de las otras ancianas. Con este pergeño y la expresión sentimental y dulce de su rostro, todavía bien compuesto de líneas, parecía

---

[2] Benito Pérez Galdós, *Misericordia,* en *Obras Completas,* V, Madrid, Editorial Aguilar, 1961. Todas las citas están tomadas de esta edición y van entre paréntesis en el texto del capítulo.

[3] Denah Lida, «Almudena y su lenguaje», *Nueva Revista de Filología,* XV, números 1-2 (enero-junio 1961), p. 299: «Raros son en *Misericordia* los momentos en que el narrador se interpone para facilitarnos la tarea de comprensión explicando en buen español lo que el ciego dice. En la descripción que éste hace a Benina (cap. XII) del complicadísimo procedimiento que ha de seguirse para obtener el tesoro del rey Samdai, el novelista mismo narra ciertas partes, pero sin llamar la atención sobre la necesidad de 'traducir' —como sí hace en otros casos que luego veremos—, y con ese estilo indirecto combina los muy directos comentarios de Benina y trozos vivamente dialogados.»

una Santa Rita de Casia que andaba por el mundo en penitencia. Faltábanle *sólo* el crucifijo y la llaga en la frente, si bien podía creerse que hacía las veces de ésta el lobanillo del tamaño de un garbanzo, redondo, cárdeno, situada como *a media pulgada más arriba* del entrecejo (p. 1882).

Si analizamos la serie de los rasgos atribuidos a Benina, encontramos que tal atribución está cuantitativamente graduada y expresada por palabras como «apenas», «más de la mitad», «menos», etc. En conjunto, estas gradaciones sugieren algo que hubiera sido difícil manifestar de otro modo: cuando se la compara con sus compañeras, Benina queda por encima de ellas y, en la lucha de la vida, ha conservado muchas buenas cualidades que por lo general se pierden en el arduo batallar de la pobreza. El narrador «le toma la medida» al personaje, y llega a una conclusión que, por decir menos de lo que realmente cree, convence más: «parece una Santa Rita de Casia». Es decir: la cree, y hace que el lector la crea, santa. Y no una santa cualquiera, sino, y éste es el indicio revelador, la abogada de los imposibles, la que puede hacer o favorecer la realización del milagro.

Con su habitual transparencia, Galdós prepara el terreno para que el lector se predisponga a aceptar lo inusitado: en las primeras diez páginas de la novela le pone en contacto con alguien que se parece a una santa. Luego, de manera indirecta, hará ver que de una santa se trata, y al final impondrá suavemente, enmascarada como por azar, la realidad del milagro. El narrador nos familiariza incluso con los pequeños pormenores del espacio mendicante: la iglesia de San Sebastián, «edificio bifronte», cuya «fealdad risueña» y abigarrada sugiere de algún modo la esencia de la protagonista, esa curiosa mujer que puede ser, a la vez, criada sisona y santa milagrera. Una vez presentados los pordioseros en un grupo sobre el que manda la oficiosa Bernarda, el narrador retrata a la casi inadvertida Benina, destacándola e individualizándola sobre los demás, precisamente por su humildad y sencillez. La simpatía del narrador hacia la protagonista salta a la vista; pero siendo como es, narrador realista, responsable de la fidelidad del relato, tiene que pintarla según se la ve. Esto le lleva a medir las palabras que le dedica. Y como mesura implica moderación (y exactitud), Benina no puede sino salir ganando cuando se la compara con sus compañeras de pordioseo: «su nariz destilaba *menos*»; «sus dedos *no* terminaban en uñas de cernícalo», etc.

De este modo, el narrador nos persuade indirectamente de la superior humanidad del personaje. El dato es importante, pues cuando veamos a Benina en otro ambiente, la casa de su ama, recibiremos otra impresión de su carácter, aunque al narrador le interesa que predomine la suya. Lo inteligente de este medio expositivo es que el elogio se disimula en el retrato realista de la persona. No omite ni arrugas, ni lobanillo, ni la nariz destilando, y aun así la imagen creada puede servir de soporte a una santa, aunque en la descripción sólo se utilice una forma expresiva que pudiera llamarse típica de las imágenes de la religiosidad convencional: «la expresión sentimental y dulce de su rostro». En un texto hagiográfico esta referencia no sorprendería, pues las imágenes de santos dulzones son típicas. Pero en el contexto de esta descripción, donde los lobanillos tienen tamaño de garbanzos, la frase tiene otro sentido. El narrador empieza utilizando el adjetivo «dulce» para calificar la voz, y después de describir una porción de detalles menos «poéticos», vuelve a emplearlo para referirse al rostro, enmarcando así con esta reiteración el resto de la figura.

La tendencia a idealizar está bien equilibrada con la de reflejar la realidad visible; gracias a este equilibrio, la imagen de Benina queda establecida como santa en el medio plenamente realista de que forma parte. Visión y vista cooperan, como conviene para que en este universo ficticio quepa el milagro o, si se prefiere, un hecho inexplicable: la aparición de un personaje ni conocido ni inventado por el autor.

Al narrador, encargado de informarnos de lo que ocurre en ese mundo, le incumbe la delicada tarea de presentar como verosímil lo que es y lo que no es. Primero debe hacernos creer en su sinceridad; después deberá conseguir que creamos en la realidad de lo contado, incluso si se trata de un milagro —ficticio, para colmo—, de cuya admisión depende la validez del relato. En justicia, podríamos añadir que la «creencia» del lector bastará que también sea ficticia; no es una admisión ciega de los hechos, sino una aceptación de su plausibilidad dentro de la convención implícita en el hecho mismo de leer una novela. Recordemos que la ficción exige por naturaleza una «suspensión de la incredulidad». No es lo «real» y lo «ficticio» lo que Galdós quería poner a prueba, sino la actitud del lector ante lo uno y lo otro.

Veamos ahora a Benina en otros ambientes para observar cómo los describe el narrador y lo que opina sobre ellos —si es que algo opina— y sobre las palabras y los actos de los personajes. El narrador resultó ser buen conocedor de los mendigos; persona discreta y pluma imparcial, salvo su marcada simpatía por la heroína. No es, desde luego, el «narrador testigo» de *La sombra,* donde el contraste entre el punto de vista general sobre Anselmo y el privado podía hacerse perfectamente. En *Misericordia,* Galdós permite al narrador «poderes extraordinarios de acceso al estado mental de los otros [personajes]» [4]. Sin esos poderes del narrador, los hechos miste-

[4] Característica del narrador omnisciente, de la que carece el narrador-testigo, según dice Friedman en su artículo: «Point of View in Fiction; The Development of a Critical Concept», *PMLA,* LXX (1955), p. 1174. Ejemplo de la

riosos de la novela quizá hubieran quedado en un estado demasiado caótico: ¿a quién creeríamos? Con la presencia de un narrador que tiene ese acceso, que es sincero y que está a la distancia necesaria del milagro, como para verlo «con perspectiva», el lector siente cierta seguridad que los personajes, cada vez más caldeados mentalmente por los hechos extraños, no podrían dar por sí mismos para ayudar a la interpretación.

Ciertas características del «narrador-testigo» corresponden, sin embargo, a las del narrador de *Misericordia.* Este, como aquél, «puede extraer conclusiones de cómo otros sienten y piensan» [5] (cuando en vez de penetrar a un personaje nos ofrece su parecer, formado de la pura observación); también «nos informa de sus límites» [6], en cuanto traductor del idioma de Almudena. Como tipo, el narrador es mezclado, si aplicamos las categorías de Norman Friedman, pues unas veces aparece como testigo y otras se nos presenta como omnisciente.

Apuntador de una historia que él mismo se apresura a calificar de «verídica» (p. 1886) y «puntual» (p. 1890), quiere ante todo convencer al lector. Su preocupación por la verdad de su versión, reiterada deliberadamente a lo largo de la novela, sirve de contrapunto a las llamadas «mentiras» de Benina, a las que no concede ninguna importancia. Su razonamiento es éste: mi narración es válida y coherente; si en ella irrumpe algo inexplicable, la irrupción se deberá a circunstancias imprevisibles, pero no a un fallo o debilidad mía. Hasta en un detalle mínimo, al hablar de la velocidad con que corría Benina hacia casa, el narrador cuida su imagen de persona fidedigna: «Casi no es hipérbole decir que la *señá* Benina [iba] como una flecha» (p. 1890). Por si el símil parece exagerado, se previene cautelosamente que algo tiene de hiperbólico, atenuando así el alcance del símil, pero conservándolo, a pesar de todo.

Ante la puerta de la casa de doña Paca, el narrador acude a otro tipo de imágenes, porque otras son las percepciones que el lugar suscita en él: «El ruido de la campanilla o más bien afónico cencerroneo» (p. 1891) da la nota; en vez de «fealdad risueña» o «cierta gracia» (o algo semejante que sugiera calor humano), el narrador oye el ruido de la campanilla como el sonido de un cencerro afónico. La idea de pérdida asociada al adjetivo «afónico» es adecuada para sugerir cómo resuenan los sonidos exteriores en el hogar de doña Paca, que ha perdido todo —marido, hijos, amor, dinero, sociedad...—, menos la lealtad y el cariño de Benina.

---

omnisciencia del narrador de *Misericordia* puede ser el siguiente: «La Benina gozosa; pensando que no había perdido el tiempo» (p. 94).

[5] Véase FRIEDMAN, *art. cit.,* p. 1174.

[6] *Idem.*

En este ambiente, harto distinto de los presentados con anterioridad, se ofrece al lector otra versión del carácter de Benina. Sin preámbulo, y sin prevenirnos directa o indirectamente de nada, por boca de doña Paca se deja caer la primera referencia al personaje imaginario, el cura inventado por Benina para hacer admisible su piadosa mentira. Doña Paca cree que su sirvienta trabaja también para un sacerdote y que de él procede el dinero de que ambas se sostienen.

Analicemos la presentación de don Romualdo. Cuando por vez primera se le nombra, es un personaje real y figura inventada; real para doña Paca, quien lo conoce de oídas, y falso para Benina, que lo imaginó. Es importante que de entrada advirtamos la sólida creencia de la señora. La «mentira» es cosa pasada, aceptada como parte de la rutina de cada día, instalada en la verdad e integrada en ella; lo único a que el lector asiste es a la emisión y recepción de unas cuantas mentirillas derivadas del hecho ya inconcuso de la existencia del buen sacerdote. La técnica es sutil; nos adentra en un proceso complicado, como si fuera algo sencillo y natural, que no merece deliberación alguna. Y rematando esta «naturalidad» galdosiana, el dato siguiente: «hoy es San Romualdo» (p. 1891). ¡Hasta el calendario lo registra!

Contra lo que pudiéramos esperar, el narrador no acredita en absoluto la invención de Benina; la descarta como figurilla que vaya, si sirve para sacarla de apuros con doña Paca, vale, pero no en serio. Acredita, en cambio, su «maestría para el embuste» (p. 1891), y casi a continuación nos lleva a un terreno nuevo: el pasado, el cual se inserta en la narración no como «flashback», sino como cuento intercalado, con leyes propias.

Complejidad de la estructura narrativa

Las descripciones de doña Paca, de la familia y de la criada ocupan quince páginas. Se distinguen dentro del discurso narrativo por estar escritas a grandes trazos; la distancia es otra y otra la perspectiva. El narrador habla más como mero historiador que como conocedor del corazón humano; un ejemplo de este cambio aparece en seguida, cuando se nos dice que Francisca Juárez «soñaba que se caía a la profundísima hondura...» (p. 1893). El dato no procede del narrador, sino del autor implícito, a quien en esta obra se le dio lo que Booth llama «*an overt, speaking role*»[7]. El narrador ni ha conocido a doña Paca en «las alturas» de su vida anterior, ni tiene noticias de primera mano sobre esa época.

---

[7] Wayne C. Booth, *The Rhetoric of Fiction, ed. cit.*, p. 71.

La caída de la familia, cuyas desgracias se lamentan, está contada con retórica un tanto histriónica, poco característica del narrador que hemos escuchado hasta ahora. Dice:

> La situación era, pues, desesperada, de naufragio irremediable, flotando los cuerpos entre las bravas olas, sin tabla o madero a qué poder agarrarse (p. 1899).

Preguntándonos, ¿a qué se deben tales excesos verbales? —y hay muchos en estas páginas—, se nos ocurre que la perspectiva del narrador fue aquí sustituida por la de los personajes empobrecidos, cuya angustia aumenta según van alejándose del bienestar anterior. Al narrador, capaz de detectar grados de aseo y de salud entre aquéllos que don Carlos sólo logra ver como un grupo mugriento, no le espanta la pobreza en que cae doña Paca, pero a ella sí, y es precisamente su espanto lo que nos comunican las hipérboles.

El cambio de perspectiva: de la del narrador a la de los personajes afectados por la ruina es, pues, tácito. Otro propósito de las páginas a que me estoy refiriendo (además de su evidente función informativa) es el justificar en parte la opinión de doña Paca sobre su sirviente. Hasta ahora nos parecía injusto que el ama acusara de «sisona» a la persona que, lejos de robarle, la mantiene. En una casa vacía nada puede robarse, como bien aprendió Lázaro de Tormes al entrar al servicio del Escudero; pero la iluminación de lo pasado nos deja ver que, aun cuando Benina tenía todo lo necesario, sisaba. Este «defecto grave de la sisa» (p. 1843) promovió «cuestiones agrias entre ama y sirvienta» (p. 1893), que influyeron en sus relaciones y en la opinión que aquélla formó de Benina. Por su larga convivencia con la criada, doña Paca registra, en su opinión, el pasado tanto como el presente, sin advertir que el cambio de situación hace que Benina no pueda sacar de donde no hay, por muy sisona que sea. El narrador queda a la distancia discreta de quien observa la contradicción sin afanarse en corregirla. Considera los hechos en conjunto, pero a modo de moralista impersonal, achacando la desgracia a debilidades de temperamento o definiendo la caridad de Benina como astucias, embustes o lo que fuere.

Cuando el discurso vuelve al presente aparece de nuevo el narrador y el tono es otra vez el sencillo y familiar de antes: «Pues señor, atando ahora el cabo de esta narración [la historia del pasado], sigo diciendo que aquel día comió la señora con buen apetito» (p. 1900). De la «novela» volvemos a la realidad y a los detalles cotidianos que la constituyen; en seguida se mezclarán éstos con otros igualmente «realistas», pero irreales, pues sólo existen como verdad para doña Paca, quien se ha tragado la mentira sobre el cura. Al entremezclar detalles de la vida diaria y de la invención beninesca, el narrador da la sensación de que parece tangible y verdadero lo que no lo es. Cuando reafirma la «presteza imaginativa» (p. 1900) de Benina, asegura que su invención está a salvo de ser descubierta o, mejor dicho, terminada. Mientras la mentira viva, existirá y funcionará como verdad.

Falsedad y veracidad entran en un juego curioso, manejado magistralmente por el autor. El narrador dice la verdad; la narradora del cuento del cura dice mentiras; el contrapunto es neto, y hasta que se realice el milagro, aparentemente obvio. Lo tajante de la contraposición sirve para ganar la confianza del lector, que, no lo olvidemos, pertenece al mundo real, cuyas leyes arrastra consigo en la lectura de una novela, en donde espera encontrar otra realidad hecha también de leyes bien definidas y conocidas: el autor crea a los personajes, pero éstos no suelen crear a otros. Si el autor cambia la ley tiene que hacerlo de forma que el lector admita el cambio. Galdós logra imponer al lector un hecho insólito porque construye un mundo novelesco en donde la realidad y la verdad son valores firmes, nunca puestos en entredicho; en este contexto se produce un fenómeno inexplicable, y entonces, como haríamos si se produjera en el mundo real, le damos un nombre que será más o menos adecuado, pero que servirá para mostrar que reconocemos su existencia.

La infiltración de «lo fingido»

Veamos ahora qué técnicas se emplean para introducir en la realidad novelística al personaje fingido. Ya se han dado detalles triviales de su mundo para fijarlo en la mente de doña Paca, los cuales, convertidos en «muletillas» por Benina para caracterizar a los personajes relacionados con don Romualdo (sus sobrinas, por ejemplo); técnica adecuada para describir brevemente a personas que doña Paca nunca verá de cerca, lo que permite prescindir de una presentación más minuciosa y detallada. El contraste entre las matizadas observaciones del narrador y las muletillas de que echa mano Benina responde a las necesidades del relato y, al mismo tiempo, da más relieve a las técnicas descriptivas en la obra.

Una parte de cualquier técnica descriptiva es la selección de los detalles; otra —a menudo inseparable— es la presentación del conjunto. El narrador proporciona abundancia de detalles cuando pinta algo o a alguien; a veces hace que un personaje entre de repente (hasta donde es posible en el arte temporal de escribir). Don Romualdo no entra así como invención de Benina; su ingreso en la novela es más bien una infiltración gradual. Estudiémosla por etapas, recordando que éstas, a la vez que acumulan datos sobre el cura «inexistente», cumplen otra función quizá más importante: la de confundir, poco a poco, elementos de la realidad y elementos de la ficción. Hay siete etapas:

1. El personaje fingido lo menciona doña Paca, precisamente el día de San Romualdo. La primera presencia será en la palabra y en el calendario, y tendrá por esto un aire religioso.

2. Benina dice que es «amigote» de un personaje real, don Carlos (p. 1904); en la red de la mentira caben seres reales, lo cual no la hace menos tupida. Además, la familiaridad de la palabra «amigote» asocia al personaje fingido con el real de modo íntimo y campechano, con naturalidad.

3. Frasquito Ponte, el *dandy* decadente, habla de «los grandes hombres» (Lamartine, Hugo) como si hubiesen existido en la ficción. Con esto, el autor borra un poco más la línea divisoria entre realidad y ficción.

4. La inventora del personaje llega a creer en la realidad de éste: «Invento yo al tal don Romualdo, y ahora se me antoja que es persona *efetiva* y que puede socorrerme» (p. 1929). Claro está que se apresura a rectificar su error con este pensamiento: «No hay más, don Romualdo, que el pordioseo bendito, y a esto voy, y veremos si cae algo» (p. 1929). Pero su voluntad de creer es tal que le aproxima a la fe. Con esto se introduce el matiz crucial: creencia-fe. A partir de aquí la pobreza extrema, que por necesidad de acogerse a alguna instancia sobrenatural es productora de fe (y de remotísima esperanza), va a ser la que determine las creencias de las tristes criaturas de *Misericordia.* La misma Benina pierde perspectiva en relación con su «mentira»; su miseria hasta puede convertir la mentira en recurso de verdad. Si no se tiene nada, se lucha por sacar algo de la nada, y hasta la sustancia quebradiza de la mentira es más que nada.

5. Don Romualdo figura en un sueño de doña Paca, según ella le conoce en la realidad: es un benefactor ausente. Al día siguiente, la fuerza gráfica del sueño causa un olvido momentáneo en doña Paca: se refiere a los muertos del sueño como si estuvieran vivos. Las líneas de la realidad ficticia y de la pura ficción se borran; personajes existentes (los grandes hombres) y personajes muertos caben en la realidad de la novela. Cuando doña Paca acoge en su casa a Ponte, la desagradable realidad de su pobreza casi se esfuma; el espacio se llena de recuerdos del pasado. El extravío culmina en la alucinación acústica compartida una noche con Benina, al oír un «rintintín metálico, que no podía provenir más que de las enormes cantidades de plata y oro» (p. 1947).

6. La segunda visita de don Romualdo es simple y mágicamente real. Tampoco se le ve esta vez, pero la descripción dada por una vecina coincide con la imagen creada por Benina. La presencia súbita del cura compensa la ausencia, igualmente súbita e inesperada, de Benina y Almudena.

7. La identidad de Benina se pone en duda. La toman por la «señora disfrazada» por otro nombre, doña Guillermina Pacheco, que, según el narrador, era (pues murió hace años) «demasiado buena para el mundo». Gemela de Benina en bondad, la santa burguesa tiene su paralelo en la santa pobre Benina. Y será por el «lenguaje ordinario» (p. 1956) por lo que los mendigos distingan a una de otra. La confusión da lugar a la broma sobre el apellido de Benina: Benigna de Casia. «Por este apellido, algunos guasones de su pueblo se burlaban de ella diciendo que *venía* de Santa Rita» (p. 1956). La semejanza, ya apuntada en la presentación inicial de la protagonista, se recuerda aquí; pero esta vez con intención irónica, para de-santificarla. El momento es apropiado para destacar la ambigüedad del personaje: justamente aparece entonces don Romualdo y se está viendo si se trata del inventado por Benina o de otra persona. Su consistencia está en duda, como la de la protagonista, acusada de falsa; parece como si tanto don Romualdo como Benina hubieran sido puestos simultáneamente en una balanza de verdad-mentira.

La séptima etapa —cuando la cuestión de la identidad de Benina coincide con su «misteriosa desaparición» (p. 1964)— es la final. Cuando más falta hace, cuando puede probarle a la señora quién es don Romualdo, desaparece, y hasta se duda de su propia identidad. El autor evita la confrontación de los mundos que ha ido entrecruzando y que parecían destinados a confluir; más aún, los separa en su punto de unión: Benina. La intención me parece clara: quiere mantenerse el misterio; mostrarse que jamás se podrá «explicar» lo inexplicable. Si Benina hubiese estado presente cuando llegó don Romualdo a casa de doña Paca, ¿qué habría ocurrido? Al lado de lo increíble, de la aparición del sacerdote, los detalles discrepantes con la versión de Benina, tales como el nombre de su sobrina o el hecho de si Benina trabajaba o no para él, habrían parecido ínfimos, y se hubieran achacado a confusiones, mentirillas, o a que don Romualdo estaba haciendo «misterio de sus grandes virtudes» (p. 1967). El cotejo de los pormenores imaginados con los reales pierde importancia en el torbellino emocional del momento, intensificado, además, por la condición física que pone a doña Paca y a Ponte en precario estado mental: es el hambre, tema central de la novela, lo que causa su debilidad y su credulidad.

Del sueño realizado a la pesadilla

En contraste con la levedad vital y hasta corporal de los personajes «reales» (doña Paca y Ponte), el aspecto físico del personaje «fingido» es muy saludable: «Grandón, fornido [...], comía y bebía todo lo que demandaba el sostenimiento de tan fuerte osamenta y de musculatura tan recia. Enormes pies y manos correspondían a su corpulencia» (p. 1966). Por si alguien dudase, el autor se complace en mostrar la solidez del personaje «irreal»; en lugar de la escualidez de los demás personajes, éste exhibe carne y huesos nutridos. Contraste evidente, y aún más que contraste, compensación: testimonio de la buena comida que ya no faltará; del dinero que la dama empobrecida tendrá; promesa de la salud que traen consigo los buenos alimentos, y de la hermosura espiritual que apuntó en ella desde que amparó a Ponce, el pariente destituido, y que ahora se verá mejor. El cura personifica en la novela fuerzas muy reales y doña Paca parece sentirlo cuando exclama: «¡Bendito sea una y mil veces el que da y quita los males, el Justiciero, el Misericordioso, el Santo de los Santos!...» (p. 1965). Su gratitud efusiva recoge los plañidos por la justicia y la misericordia expresados al comienzo de la novela.

Veamos ahora qué otras compensaciones se registran en la novela y si sirven también para fines estructurales. Una se relaciona con lo dicho en el párrafo anterior sobre la justicia. Don Carlos, el pseudoseñor, está contrastado y compensado con Frasquito Ponte, verdadero señor, que conserva su señorío aunque haya perdido sus bienes materiales. Con la palabra y el pensamiento —sus únicas posesiones— reconoce en los demás la estima que merecen, y al hacerlo les enriquece la vida ilusionándoles. Don Carlos, en cambio, perfilado por el rígido orden de sus costumbres y su poca comprensión de los otros, no da ni un duro (salvo para marcar *sus* ocasiones, como el aniversario de la muerte de su mujer) y, mucho menos, palabras caritativas. Para él Benina es una molestia más, otra mendiga cualquiera; para Ponte es «un ángel». Mientras de su pariente don Carlos doña Paca espera caridad, no recibe de él sino decepciones y amarguras. Quizá sea coincidencia —como tantas otras en la novela—; pero tan pronto como acoge a Ponte, las cosas mejoran. Don Carlos y Ponte contrastan personalmente y se contraponen estructuralmente.

La cuestión del señorío y el dinero está presente a lo largo de la novela, y se refleja en la historia de doña Paca en el modo cómo el narrador vuelve a llamarla «la dama rondeña» (p. 1976); su huésped ya no será el pobre Ponte, sino «el galán manido». El cambio de nombres va acompañado de una renovación de las hipérboles que aparecieron al hablar del pasado de la señora, y sirven la misma función: indicar el cambio de perspectiva. Así, de los cuidados que Ponte vuelve a prestar a su persona se dirá que estaba «inaugurando allí [en una perfumería] la campaña de restauración de su existencia, que debía comenzar por la restauración de su averiado rostro» (p. 1971).

Pero por inesperada y como Galdós dice (en otra novela y de otro personaje), por ser resultado de «hambre larga», la nueva vida será terriblemente artificial y hasta grotesca. El narrador subraya a menudo lo ominoso de los nuevos excesos: «Como tenía la cabeza tan mareada [doña Paca], efecto de los inauditos acontecimientos de aquellos días, de la ausencia de Benina y, ¿por qué no decirlo?, del olor de las flores que embalsamaban la casa...» (p. 1979). Las sobras ya no serán las normales de una casa normal, sino una gallina, cuatro chuletas, fruta en cantidad: el derroche ha sustituido a la pobreza.

La imagen más fuerte de la catástrofe inminente nos la comunica indirectamente. El narrador interpreta la caída de Ponte de su jamelgo de la siguiente manera: «Quiso el jaco emanciparse de un jinete *ridículo* y *fastidioso...,* hasta que logró despedir hacia las nubes a su *elegante caballero.* Cayó el *pobre Ponte* como un *saco medio vacío*» (p. 1980).

Los indicios estilísticos son abrumadores: el empeño es absurdo («ridículo»); la naturaleza no tolera violaciones («quiso emanciparse»); las aspiraciones patéticas fracasan (el caballero es tirado «hacia las nubes»); el triste espectáculo («pobre Ponte») le recuerda al narrador algo que se está desinflando («un saco medio vacío»). Se levanta Ponte, salvado esta vez; pero nada más volver a montar, el caballo se desboca y escapa. Tal será la primera imagen que tenga Benina de la riqueza; verá pasar el caballo de Ponte «veloz como el viento» (p. 1980), y lo que ocurre «ya se lo temía ella» (p. 1980). Las «consecuencias funestísimas» (p. 1985) no tardarán en aparecer; Ponte muere en seguida.

Los epítetos aplicados a Ponte revelan el pensamiento del narrador; los dedicados a Juliana manifiestan sus reacciones —y las de toda la familia— frente al cambio de fortuna. Obdulia verá a su cuñada como «intrusa chulita» (p. 1978); el narrador llamará a ésta «la mandona» [8], aunque apunta escrupulosamente (y parece como si lo hiciera venciendo la antipatía que siente por ella) que «no carecía de amor al prójimo» (p. 1984). En la nueva organización doméstica, en que el narrador habla de «general y subalterno» (p. 1990) y de «pastor» con «triste ganado» (p. 1988), los papeles se invierten. El

---

[8] Joaquín Casalduero, *Vida y obra de Galdós,* Madrid, Editorial Gredos, 1961, p. 220: «Juliana —su nombre debe relacionarse con el de Julio César—, la buena administradora, la que gobierna tiránica y dictatorialmente a la familia de la viuda doña Paca.»

dinero ha aniquilado casi por completo la compasión, que en la pobreza se daba espontáneamente. El patético Ponte es echado de la casa; la voluntad de doña Paca se desmorona; los caprichos de los hijos corren a rienda suelta; la limpieza maniática y el amor a lo propio, sobre todo, reinan. El narrador comenta: «A los caracteres anémicos de la madre y los hijos no les venía mal este sistema, ensayado ya con feliz éxito en Antonio» (p. 1990). La casa marcha.

Pero el mal oculto en esta prosperidad, la ingratitud, acaba por roer a todos. Lo que dijo Benina cuando doña Paca se negó, temerosa, a ampararla y a proteger al mísero Almudena, lo dice Ponte al morirse: «Ingrata, ingrrr...» (p. 1990), refiriéndose a Juliana. Y la misma Juliana, que confirma la muerte de Ponte y quiere mandar a Benina al asilo llamado —¡con qué ironía!— «Misericordia», será quien se dé cuenta de lo que falta para poder gozar de la riqueza: el perdón de Benina, con el cual concluye la novela.

La imagen final: Benina viviendo en una choza, con «buenas apariencias de salud y, además, alegre» (p. 1991), lavando la ropa al sol, es una idealización hermosa, y sugiere una verdad que todos reconocemos en el fondo: el amor puede existir en cualquier forma, y cuando existe crea una armonía interior que se refleja en lo exterior, incluso en la mayor pobreza. Esta imagen final, plenamente real, tiene algo de mágico que hace pensar si el lograrla no será hazaña mayor que el inventar un personaje. El milagro realizado apenas significa nada sin el ser humano, o personaje, capaz de crearlo por creer en lo que simboliza: el bien. El último milagro de Benina es la alegría que resplandece en su última y voluntaria pobreza.

Almudena

El personaje Almudena desempeña una función en cierto modo complementaria de la observada en Benina. No puedo exponer con detalle la complejidad de esta figura, pero me parece preciso, cuando menos, decir algo que se relacione con el problema de que estoy tratando. Que Almudena sea un personaje misterioso y que su presencia plantee problemas difíciles de resolver es evidente por cómo los mejores críticos se han afanado estudiándolo [9]. El men-

---

[9] En los tres estudios, ya clásicos, sobre Galdós: *Vida y obra de Galdós,* de Joaquín Casalduero, Ed. Gredos (Madrid, 1961); *Galdós, novelista moderno,* de Ricardo Gullón, Ed. Gredos (Madrid, 1966), y *Galdós,* de José F. Montesinos, Ed. Castalia (Madrid, 1968), se le dedica atención cuidadosa al personaje Almudena. Existen también el artículo citado de Denah Lida y el de Robert Ricard, «Sur le personnage d'Almudena dans *Misericordia*», *Bulletin Hispanique,* LXI, n.º 1 (1959), reproducido también en *Galdós et ses Romans* (París, Centre de Recherches de l'Institut d'Etudes Hispaniques, 1961). Recientemente aparecido está el trabajo de Sara E. Cohen, «Almudena and the Jewish Theme

digo hebreo es el primer gran creyente en el milagro y desde el comienzo le vemos tratando de persuadir a Benina de que, si quiere, «todos los dinerales de don Carlos podrán ser de ella» (p. 1908). Es en ese punto cuando el narrador revela la naturaleza «algo supersticiosa» y crédula de la protagonista y su esperanza de que algún día verá realizarse un milagro que reputa posible y, dada su situación de pobreza, necesario.

El diálogo que sigue es seguramente uno de los más sugestivos que Galdós escribió. En él expone Almudena su creencia en Samdai, «*el rey de baixo terra*», que no por ello es el diablo, sino un «rey bunito», que ha de ser invocado a medianoche, en un ritual de clara estirpe mágica, utilizando un caudal, una olla de barro con siete agujeros y un palo de laurel. Las operaciones que Almudena indica, unidas a cierta fórmula encantatoria, han de dar como resultado la aparición del rey Samdai, de quien puede obtenerse la riqueza sin más que pedírsela.

Es, pues, Almudena quien sugiere a su amiga la posibilidad del milagro, la de que el milagro se produzca: «La pobre Benina se embelesaba oyéndole, y si a pies juntillas no lo creía, se dejaba ganar y seducir de la ingenua poesía del relato, pensando que si aquello no era verdad, debía serlo» (p. 1910). Este creer y no creer es, en definitiva, un dulce consuelo para la pobre mujer, pues le permite abrir las puertas a la esperanza, a una esperanza que se cumplirá de modos casi extraños, aunque menos exóticos, que los propuestos por el imaginativo mendigo.

Las historias de Almudena son de una poesía profunda, de una poesía visionaria que contrasta con el realismo de Benina, pero que en parte acaba contagiándola. La relación entre ellos tiene alguna semejanza con la de don Quijote y Sancho. Almudena es uno de esos ciegos galdosianos que pueden ver lo que no ven los videntes normales: «En lo de los mundos misteriosos que se extienden encima y debajo, delante y detrás, fuera y dentro del nuestro, sus ojos veían claro» (p. 1912), y su elocuencia es tal que puede medio persuadir a quienes le escuchan contar cómo Samdai se le apareció (cuando, por cierto, según señala el narrador, se encontraba Almudena bajo los efectos de la droga: el cáñamo índico) y cómo le dio a escoger entre las riquezas y la mujer. Benina es escéptica, como Sancho, pero no tanto que no pueda ir dejándose convencer de que los delirios del soñador tengan algo de verdad.

Y es lo cierto que Samdai ha cumplido su promesa, pues Almudena encontró a la mujer en quien se resume la perfección de la caridad, y es él, precisamente por ser a la vez ciego y visionario,

---

in *Misericordia*», *Anales Galdosianos,* VIII (1973), que en la nota número 1 lleva una extensa bibliografía sobre la novela.

quien alcanza a ver la belleza de un alma que los demás no aciertan a descubrir, o la descubren tarde, como Juliana, que en la última página de la novela intuye la santidad de Benina y la cree capaz de hacer otro gran milagro: devolver la salud a sus hijos, en caso de que la pierdan.

Esta escena es trascendente por varios conceptos, pero sobre todo porque relaciona el «tesoro» espiritual de Almudena: la mujer que puede hacer milagros y vivir de milagro en maravillosa paz interior con el tesoro material, la herencia recibida por doña Paca, que no ha traído ni podía traer la felicidad para ella ni para los suyos. Y hay un momento, en el capítulo antepenúltimo, cuando el también delirante Frasquito Ponte, poco antes de morir, revela, como iluminado por la proximidad de la muerte, la suprema verdad sobre Benina. Ella, la caridad encarnada, *es* el milagro. No lo que hace, sino su existencia misma es el gran milagro que todos debieran ver y que, como acabamos de decir, la misma Juliana acaba por reconocer; «La *Nina* —dice el moribundo— no es de este mundo...; la *Nina* pertenece al cielo... Vestida de pobre ha pedido limosna para mantenerlas a ustedes y a mí...» (p. 1989). Los dos ancianos, el mendigo ciego y el señorito arruinado, supieron reconocer el verdadero tesoro y el milagro. En su ceguera y en su demencia vieron, respectivamente, la verdad iluminadora y comprendieron la grandeza de un alma, cuya hermosura es en sí el portento de los portentos.

CAPITULO VII

«CLARIN» O LA COMPLEJIDAD NARRATIVA

ESTRUCTURA NARRATIVA

El narrador de *Su único hijo* es alguien que aspira a contar una historia y a contarla bien. Su propósito es transmitir la impresión de un mundo y de unos personajes que, siendo inventados, han de parecer verdaderos [1]. Para lograr este propósito, la narración tiene que empezar por ser interesante, y, dada la materia utilizada y la acción que describe, sólo el modo de contar puede conducir al éxito.

Tenía Leopoldo Alas delicadeza de toque, una elegancia natural en el giro de la frase que le permitía decir mucho y sugerir más en pocas líneas. Ejercitada la mano en sus hermosos cuentos, en sus novelas cortas, en la extraordinaria *Regenta,* al escribir *Su único hijo* se hallaba en la plenitud de sus facultades. Y lo mismo le ocurre al narrador, a su narrador. Sabe éste que ambiente y personajes deben producir la impresión de existir independientemente de él, y que esto exige una estructura narrativa de cierta complicación. Buena parte del discurso será relación y descripción directa, pero constantemente se complicará con modalidades y variantes que le enriquecen y flexibilizan. La organización del relato puede calificarse con una sola palabra: artística.

El narrador de la novela pertenece a la especie más corriente en la novelística del siglo XIX. Es un narrador omnisciente, que habla en tercera persona, y sabe de sus personajes no sólo los actos y los pensamientos, sino las emociones de que ellos mismos no se dan cuenta exacta, y hasta los movimientos del subconsciente. Los describe

[1] Como muy bien ha señalado ALBERT BRENT en su libro *Leopoldo Alas and* La Regenta: *A Study in Nineteenth Century Spanish Prose Fiction,* The University of Missouri Studies, XXIV, n.º 2, p. 21: «Among those points relating to novelistic technique, Alas emphasized particularly the importance of verosimilitude of style and language, which should be in keeping with the position and personality of the character.»

según son en su realidad total y no solamente en su apariencia. Resulta ser también un narrador imperioso, que no se contentará con menos de señalar al lector lo que debe ver y cómo debe verlo para entenderlo mejor; quiere ejercer un cierto control sobre él, dirigiéndole hacia lo que le parece importante. Se vale para ello de un recurso muy simple, consistente en subrayar las palabras que considera más importantes, restringiendo así la libertad del lector, atraído hacia esas palabras y quizá sugestionado y un tanto coartado por ellas. ¿Por qué, por ejemplo, en las dos primeras páginas de la novela están subrayadas palabras como «distinguida» (la familia de Bonifacio, en el pasado) y «ovalado» (el rostro del protagonista)? Sin duda, para que el lector se fije en el hecho de ser Bonifacio un pobre hombre que para consolarse de su penuria actual se refugia en la nostalgia de un pasado ilustre; en el segundo caso, para destacar un rasgo de la fisonomía alusivo a la blandura y hasta feminidad del personaje. También puede pensarse que, burlándose de su propia manera de expresarse, subraya lo que de no ser subrayado parecería lugar común, como ocurre cuando se dice que «Emma se dio a buscar *un ser a quien amar, algo que le llenase la vida*» [2] (p. 10). En nuestra opinión, el subrayado es innecesario, pues al lector no se le escapa que las palabras subrayadas corresponden al personaje y no al narrador, que en tales casos está utilizando el estilo indirecto libre.

El punto de vista del narrador y el del personaje aparecen entretejidos en la narración misma. En la presentación del protagonista es fácil oír ecos de tres voces: la del narrador, quien lo ve como «un bienaventurado [...], un santo músico de un pintor pre-rafaelita», que mientras toca la flauta (y aquí la ironía se hace sentir) baja la cabeza «como si fuera a embestir» (p. 11); la de Emma, para quien el marido es «una figura de adorno» y «un alma de cántaro», y la del propio Bonifacio, que se considera «un soñador», dispuesto a «callar a todo» (p. 12). Esta diversidad de aspectos, no contradictorios, sino complementarios, es natural: la diferente perspectiva de quienes la observan impone la ambigüedad o, si se quiere, la complejidad de la figura. Claro está que el narrador no siempre resistirá la tentación de injerirse en el pensamiento de sus criaturas, y así, después de decir que Bonifacio se creía un soñador, añade por su cuenta un dato decisivo: «un soñador soñoliento», corroborando y, a la vez, rectificando irónicamente la imagen que el personaje tiene de sí mismo.

Y puesto que ya dos o tres veces hemos aludido a la ironía del narrador, convendrá declarar que como irónico se caracteriza desde el principio hasta el fin, y que la dramatización de la novela tiene

---

[2] La paginación de las citas va entre paréntesis en el texto y las tomo de: LEOPOLDO ALAS, «*Clarín*», *Su único hijo,* Madrid, Alianza Editorial, 1966.

esencialmente ese carácter. La vida será representación, imitación del teatro, y el ideal un teatro sin fingimiento, según es posible imaginarlo en los ensayos, cuando los artistas no tienen que fingir, como en escena. Bonifacio es aficionado al teatro, pero no a la ficción; de ahí que prefiera oír a los cantantes en el ensayo. Pues el ensayo, como tal vez intuía, es la verdad desnuda del arte, sin «la mala escuela de la declamación, la falsedad de actitudes» (p. 37) de los cómicos. Los quería «tal como eran [...], no de reyes o de sacerdotisas», y esta preferencia es interesante, pues atribuye a los cómicos una personalidad especial y superior: no son hombres y mujeres, sino «artistas», diferentes de los demás seres humanos por estar poseídos —según él cree— del entusiasmo por el arte y la belleza.

Estas convicciones pondrán un contrapunto irónico a la acción, pues conforme ésta vaya adelantando se verá que son incongruentes con lo que acontece en la novela y con la conducta de los personajes, según la observa y valora el lector, mientras que Bonifacio, sumergido en su sueño soñoliento, no se da cuenta de nada. Suele llamarse ironía dramática a la ironía de situación, que en *Su único hijo* va acompañada de una ironía verbal que puede ser muy acre, aunque ello nunca ocurra cuando se trata del protagonista, por quien el narrador parece experimentar cierta debilidad o, tal vez, una afinidad sentimental.

Recapitulando brevemente lo expuesto, creo puede afirmarse que la estructura narrativa de esta novela se caracteriza por la presencia de un narrador irónico, omnisciente y humorístico [3], que incluye en la narración, generalmente utilizando el estilo indirecto libre, puntos de vista distintos del suyo [4]. En determinadas escenas, y para acentuar su dramatismo, los personajes hablan por sí, pero no se dirigen directamente al lector; lo que dicen es parte de la narración, y nos llega filtrado por la conciencia del narrador.

La aptitud para poner de relieve lo cómico se manifiesta constantemente: «Emma, con una seriedad extraña en ella, se decidió a ser de por vida una mujer insoportable» (p. 23); la Gorgheggi «tenía una frente de puras líneas, que lucía modestamente» (p. 35); Boni-

---

[3] Domingo Pérez Minik, en su libro *Novelistas españoles de los siglos XIX y XX* (Madrid, Ediciones Guadarrama, 1957), p. 147, señala la existencia del humorismo en *La Regenta* como una constante narrativa, y la única instancia en que éste desaparece: «Cuando 'Clarín' abandona todo humor y muestra toda su seriedad 'naturalista' es cuando trata de describir el dinamismo social de las clases, *la situación de una familia en su proceso biológico o económico.*» (El subrayado es mío.) Exactamente, el caso en que el humorismo clariniano de *Su único hijo* es más evidente.

[4] El estilo indirecto libre debe su fuerza como método de reproducción precisamente a eso, a «la facultad de poder expresar los pensamientos de los hablantes o de los personajes literarios», como muy bien ha estudiado Guillermo Verdín Díaz, a quien citamos de su libro *Introducción al estilo indirecto libre en español,* Madrid, Consejo Superior de Investigaciones Científicas, 1970, p. 155.

facio, enamorado de ésta, «ya estimaba a Mochi [amante y maestro de la tiple] como una especie de suegro artístico... y ¡adulterino!» (p. 54); para justificar el éxito de un médico se dice que era «especialista en enfermedades de la matriz, y en histérico, flato y aprensiones, total, flato» (p. 116). El pobre marido «ni en idea se atrevía a ofender a Emma, por temor de que le adivinase el pensamiento» (p. 118). No hace falta acumular más ejemplos, pues basta abrir la novela para encontrarlos casi en cada página. Sí quiero hacer notar que este humor, teñido de comprensión hacia las debilidades humanas, se manifiesta en ciertos capítulos como un elemento esencial de la narración. Tal ocurre en la escena final del capítulo VIII, cuando Emma, atraída al marido por el olor de la otra mujer, le incita a cumplir «sus deberes de esposo», y él no sólo cede, sino que practica con ella las «novedades íntimas del placer» (p. 98) aprendidas de la amante. Y por la mañana, para que la criada no les hallara juntos en la cama, «la esposa arrojó al esposo del tálamo a patada limpia». En esta página, Emma se convierte en el duplicado de la Gorgheggi, no sin que ello cause cierto remordimiento al infeliz Bonifacio, que, apegado a su ideología tradicional y a su carácter romántico, se duele de la confusión en que ha caído, infiel al amor, y convirtiendo el lecho conyugal en fuente de placer.

Hecho estilístico, no menos importante que el humor, es la frecuencia con que el narrador consiente que en su discurso aparezcan reflejados el pensamiento y la palabra de los personajes. No se trata de ocurrencias casuales, sino de todo un sistema. Las rupturas del discurso se convierten en parte del mismo y dejan de ser rupturas para convertirse en elementos caracterizadores. Ejemplificaré también ahora, pero advirtiendo que he de limitarme a ofrecer, como muestra, unos pocos casos que aislados no dan idea de la extraordinaria importancia que por su frecuencia alcanzan en el texto. A veces, el recurso queda anulado, o debilitado, por la utilización de fórmulas que explícitamente atribuyen al personaje lo que a continuación se dice: «pensaba Bonifacio»; «se acostó discurriendo» (p. 35); «pensaba él» (p. 37); «como hubiera pensado Bonis» (p. 135). Y claro está que cuando una de estas locuciones va seguida de las palabras del personaje, puestas entre comillas, no se trata ya de estilo indirecto, sino de inclusión directa en el discurso de elementos que lo complican.

Cuando Bonifacio va en busca del médico, con quien Emma desea consultar, sus reflexiones se exponen así:

> Por fortuna, la casa del médico no estaba lejos y no pudieron ser muchas las hipótesis dolorosas del miedo, tocante a la relación que pudiera tener la visita de don Basilio con el *drama conyugal* de su casa, cuyo enredo llegaba a su mayor complicación, o poco entendía Bonis de teatro

casero y de las mañas de su mujer. ¿Qué papel representaba allí aquel personaje *inopinado* y que tan tarde aparecía, don Basilio? No podía sospecharlo (p. 114).

Siguiendo el hábito de apuntar en la dirección que el lector debe seguir para entender los vocablos propios del personaje, los utilizados por él en su monólogo están subrayados. No es el narrador quien calificaría de «drama conyugal» a la grotesca relación entre los esposos. La expresión, en cambio, es un dato más que ayuda a entender cómo piensa y se piensa el personaje. Y el calificativo «inopinado» refuerza la impresión de que Bonis ve su vida en términos dramáticos, con aparición de figuras cuya inesperada presencia anuncia cambios importantes.

En relación con la visita del médico a Emma, veremos un segundo ejemplo de estilo indirecto libre, sin subrayados esta vez y, por tanto, a nuestro juicio, más puro. Se refiere, como casi siempre, a Bonifacio, manifestando así el empeño del narrador de hacer que las singularidades del protagonista se filtren directamente al lector:

> Justamente él, en los ratos que dejaba la flauta y no podía ver a Serafina, y su mujer no lo necesitaba, y, sobre todo, en la cama, antes de dormirse, consagraba no poco tiempo a meditar sobre el gran problema de lo que seremos por dentro, por dentro del todo; y tenía acerca de la realidad del alma ideas muy arriesgadas y que creía muy originales. También era él espiritualista, ¡ya lo creo!, ¡a buena parte!... (p. 119).

En este párrafo puede apreciarse cómo el personaje va infiltrándose en la narración, primero en blanda transición: «Meditar sobre el gran problema de lo que seremos... por dentro del todo», y luego descaradamente: «¡Ya lo creo!, ¡a buena parte!»

Según adelanta la novela, la estructura narrativa va experimentando un cambio revelador de la importancia que Bonis adquiere en aquélla. La narración directa, el estilo indirecto libre y las formas dialogadas son desplazadas con frecuencia, y en momentos críticos, por los monólogos del personaje; monólogos en que se expone el estado de ánimo conflictivo del tipo, escindido entre el amor a Serafina y el del hijo aún no nacido. Monólogos de corte clásico; no fluir de la conciencia [5], sino conciencia concentrada en un punto, en una idea, como el que en el capítulo XII trata de la premonición maternal del protagonista. Por su extensión no puedo citar íntegra

---

[5] Esto lo ha visto muy agudamente MARIANO BAQUERO GOYANES, según leemos en su libro *Estructuras de la novela actual, ed. cit.*, pp. 48-50; *Clarín* sabía muy bien la diferencia existente entre un monólogo clásico y el que hoy llamamos joyceano, y criticó en *Realidad* el que don BENITO no utilizara el segundo y se redujera al primero, con lo cual los soliloquios resultaban menos verosímiles.

la página. Serafina canta, y se refiere lo que Bonis siente al escucharla, alternando relación y monólogo, para que pueda seguirse mejor el pensamiento en sus giros y comprenderse, en las palabras con que el soñador se habla a sí mismo, su inocencia y, a la vez, su clarividencia:

> Bueno sería —pensó mientras se iba serenando— que ahora me preguntase Emma, por ejemplo: ¿Por qué lloras, badulaque? Pues lloro de amor... nuevo; porque la voz de esa mujer, de mi querida, me anuncia que voy a ser una especie de virgen madre..., es decir, un padre... madre; que voy a tener un hijo, legítimo por supuesto, que aunque me le paras tú, *materialmente,* va a ser *todo* cosa mía (p. 170).

Se tiende hoy a desdeñar el monólogo «no interior», el monólogo no joyceano, pero ese desdén es anacrónico e injustificado. Fragmentos como el que estoy comentando sirven bien al propósito de enfrentar al lector con lo que ocurre en el cerebro del personaje, haciéndole ver en vivo las reacciones que en él produce un determinado suceso (aquí la plegaria italiana cantada por Serafina). Como instrumento resulta adecuado y, admitida la convención fundamental de la omnisciencia del narrador, debe reconocerse que en casos como éste nada puede comunicar mejor lo que sucede en la cabeza semilúcida del ente novelesco. Es, en todo caso, una abreviatura muy expresiva, un medio de decir inmediato y no sujeto a la deformación, siquiera sea levísima, a que puede someterlo el narrador si en vez de reproducirla literalmente contara, resumiendo o amplificando, su contenido.

El narrador está muy consciente del alcance y del sentido que tienen los monólogos de su criatura, y en algún caso comenta y aclara lo que ciertas expresiones significan. El capítulo XIII es uno de los que muestran la destreza narrativa de Alas: monólogo, narración directa, narración indirecta... alternan en sus últimas siete u ocho páginas, definitivas en cuanto a iluminación del carácter de Bonis y de la situación a que le ha llevado el conflicto entre el amor a Serafina y las esperanzas del hijo futuro. Y es ahí donde encontramos lo que pudiera llamarse el monólogo dentro del monólogo o, mejor dicho, el monólogo inserto en el monólogo, sorprendente penetración del personaje en sí mismo y en la reflexión sobre sí mismo. Transcribiré uno de los fragmentos que me parecen más significativos:

> No estaba satisfecho de los demás, ni de sí mismo, ni de nadie. Debía serse bueno y nadie lo era. En el mundo ya no había gente completamente honrada, y era una lástima. No había con quién tratar, ni consigo mismo. Se huía; le espantaban, le repugnaban aquellos soliloquios concienzudos de que en otro tiempo estaba orgulloso y en que se complacía, hasta el punto de quedarse dormido de gusto al hacer examen de conciencia (p. 192).

El monólogo se ha convertido en diálogo consigo mismo, llámese o no conciencia ese otro yo con el que se conversa.

Y es entonces cuando el lector, viendo al personaje dar vueltas y más vueltas a las ideas, en una confusión que irá aumentando según se acerque al desenlace, entiende la autopiedad con que Bonifacio se contempla: «... se frotaba la frente y toda la cabeza con las manos, compadecido de aquel cerebro que bullía, que crujía, que pedía reposo...» (p. 19). Su insuficiencia, sus limitaciones le hacen pensar en lo bueno que sería transformarse y vivir una vida nueva. Imposible, dirá el lector, como ya se ha dicho el personaje: la palabra «avatar», que tanto le interesa, no responde a un fenómeno realizable, salvo que al vivir de nuevo, el vivir otra vida se traduzca por el vivir *de* otra vida. Así lo acaba entendiendo: «¡Un hijo, un hijo de mi alma! Ese es el *avatar* que yo necesito. ¡Un ser que sea yo mismo, pero empezando de nuevo, fuera de mí, con sangre de mi sangre!» (p. 19). Lo que sigue es magistral y gira en torno al hijo deseado, querido, soñado, que cambiaría la vida y, sobre todo, cambiaría al padre.

Comentar estas páginas, y otras a las que me referiré en seguida, obligará, dado el enfoque del presente capítulo, a entrar en el análisis de otros elementos de la estructura narrativa de que habíamos prescindido hasta ahora. Cuando decía que el lenguaje del narrador era irónico exponía algo que salta a la vista; si no tan obvio, no es menos cierto que ese lenguaje equilibra la ironía y aun la sátira con una ternura que se manifiesta especialmente al hablar de Bonis, pero que puede alcanzar a otros personajes. La mezcla de ironía y ternura es una característica del estilo de Alas. En *La Regenta* ya era evidente, pero en *Su único hijo* la fusión se realiza más armónicamente, tal vez porque Bonifacio Reyes es personaje con quien el autor podía identificarse mejor. La ternura se revela en las imágenes, en la adjetivación, en el manejo de las situaciones.

En las imágenes: «Por su espíritu [el de Bonis] pasó como el halago de una mano de luz que le curaba, sólo con su contacto, las llagas del corazón» (p. 195). Esa mano es quizá la del novelista. La esperanza de la continuidad en el hijo permite hablar de ella con metáforas gastadas que parecen revivir cuando se ajustan al momento y al estado de ánimo:

> Aquélla era la fuente [el recuerdo de sus padres]; allí estaba el manantial de las verdaderas ternuras... ¡La cadena de los padres y los hijos!... Cadena que, remontándose por sus eslabones hacia el pasado, sería todo amor, abnegación, la unidad sincera, real, caritativa, de la pobre raza humana; pero la cadena venía de lo pasado a lo presente, a lo futuro..., y era cadena que la muerte rompía en cada eslabón; era el olvido, la indiferencia (p. 217).

Insensiblemente, el narrador se ha elevado de la metáfora previsible a la reflexión filosófica, a la expresión del estado de ánimo de un personaje cuya existencia parece tener sentido cuando es vista como eslabón de la cadena, como engarce entre el padre desaparecido y el hijo esperado.

Y la ternura del narrador puede desplegarse más sutilmente porque ha seleccionado bien la situación y, con ello, el gesto y la actitud a que mejor convienen las imágenes. Pues ¿qué hace Bonifacio mientras se piensa eslabón en la cadena? Se ha vuelto hacia la pared y contempla en ella el perfil de su rostro: «Su sombra, ya lo había notado otras veces con melancólico consuelo, se parecía a la de su padre.» Y, no sin candor, observa: « ¡Cosa extraña! Yo no me parecía apenas nada a mi padre, y nuestras sombras sí, muchísimo» (p. 217). Semejanza, como se reitera, un tanto espectral, vacilante. Y escena que hace pensar, por extensión de la palabra a la situación, que espectral será también la esperanza de Bonifacio. Diálogo de sombras en que la verdad apunta en ese «no me parecía... a mi padre», que anticipa el desengaño que ha de traer consigo un hijo, que ni se parecerá a su «padre», ni en verdad será hijo suyo. Cadena de sombras, pues, y no la cadena biológica sugerida por la metáfora. La sombra es, naturalmente, metonimia por la figura, por las figuras del padre y del hijo que en ella se manifiestan, aunque con la ambigüedad propia de tan inconsistente materia. Y la metonimia es de una expresividad perfecta: «Su romanticismo [el de Bonis], sus lecturas dislocadas, falsas, no le habían dejado admirar aquella noble figura evocada por la sombra propia en la pared de su cuarto» (p. 218). De sombra en sombra, encarnada apenas, la «figura evocada» tiene la consistencia de la vulgaridad en que Bonifacio se reconoce; en la casa de los Valcárcel no cabe imagen más plástica de quien no lleva su sangre.

La metáfora eslabón-cadena y la sinécdoque sombra por persona desembocan en una idea muy de la época que se iniciaba: la idea de la reencarnación: «La palabra *metempsicosis* le estalló en los oídos, por dentro» (p. 220). (Otra vez la imagen mostrando la violencia con que la idea irrumpe en la conciencia, como una iluminación.) Algo así, aunque más confusamente, sentía el usurero Torquemada cuando esperaba que su segundo hijo sería duplicación del primero, el pequeño genio que la enfermedad le arrebatara. Bonifacio no puede creer en la reencarnación al pie de la letra, sino en vagas coincidencias de espíritu y de carácter que, recordando al padre, le permiten anticipar cómo era el hijo.

También por vía imaginística, el discurso presenta el hijo recién nacido y la impresión que le produce a Bonifacio: «En el regazo de doña Celestina vio una masa amoratada que hacía movimientos de rana; algo así como un animal troglodítico, que se veía sorprendido en su madriguera y a la fuerza sacado a la luz y a los problemas de la vida» (p. 248). Estilo indirecto de presentación, pero no sin que el discurso se complique un poco por razones que resumiré brevemente: la descripción y las palabras pertenecen al narrador, pero el verbo inicial, ver, «vio», indica que las percepciones corresponden al personaje, sin que aquél haya hecho otra cosa que ponerlas en palabras. En las imágenes se mezcla lo metonímico —«masa amoratada»— con lo metafórico —«movimientos de rana»—, explicitadas en seguida por la segunda metáfora, corroboradora en cuanto a la animalidad, pero rectificadora en cuanto al carácter, que insistirá en el primitivismo «troglodítico» y en la escasa voluntad con que el pequeño ser hace su entrada en la vida. Las percepciones ofrecidas por la imagen orientan al lector y le dan una clave de lo que seguirá. Pues si para Bonifacio el hijo era ante todo una idea, podrá pensarse que la idea se impondrá a la realidad y que ésta acabará por no tener sentido si contradice a la ficción que el pensamiento ha creado.

Estructura novelesca

El análisis de la estructura del narrador nos ha permitido ver hasta qué punto la intrusión en el discurso de hechos estilísticos, cuya tonalidad descubre la presencia de voces ajenas, revela que por importante que sea el tono personal del autor debemos descartarlo como elemento organizador. Es el asunto y su forma lo que en *Su único hijo* desempeña este papel, y a ello, sobre todo a la forma, atenderé ahora.

Si para definir la estructura partimos de la fábula, hallaremos que ésta presenta inicialmente una figura bien conocida: la del triángulo amoroso en su forma tradicional —mujer, marido, amante—, con la variante que Alas introdujera ya en *La Regenta.* Recordaré que en esta novela el triángulo era más bien cuadrángulo: Ana, don Víctor, Alvaro Mesía y don Fermín de Pas, aunque los dos últimos sean funcionalmente paralelos y aspiren a lo mismo: convertirse en amantes de Ana. A los ojos de ésta parecen personas muy diferentes y hasta antagónicas, pero de algún modo complementarias: el uno, pura espiritualidad; el otro, prestancia y atractivo físico. Sin la sotana, el Magistral hubiera reunido lo físico a lo espiritual; con ella, la Regenta, mujer muy religiosa, no podía verle como de verdad era.

Ese triángulo, que es cuadrángulo, vuelve a repetirse en *Su único hijo,* aunque de otra manera: Serafina, Bonifacio y Emma constituyen el triángulo «legal»; Bonifacio, Serafina y Mochi el triángulo «ilegal». Serafina y Mochi no están casados, pero es el amor y no el matrimonio lo que determina su relación. En la primera parte de la novela a

Emma y a Mochi se les ve poco, y Minghetti todavía no aparece, ocurriendo un fenómeno semejante al que Ricardo Gullón ha estudiado en *Fortunata y Jacinta*[6]: el foco narrativo ilumina primero la relación entre Serafina y Bonifacio, luego la del matrimonio; sólo más tarde, con luz atenuada (y con referencias por lo general indirectas), la de Minghetti y Emma, que cierra el cuadrángulo, compuesto, en definitiva, contra toda ley matemática, por tres ángulos que al ajustarse toman aquella forma; triángulos adyacentes y sucesivos que de algún modo se superponen.

El asunto es en sí trivial; los personajes, pensados fuera de la novela, carecerían de interés. Pero ni asunto ni personajes pueden ser pensados fuera de su contexto. Sería un error contraponer el candoroso Bonifacio de la realidad a la apasionante creación que en la novela lleva este nombre. No hay más Bonifacio que el inventado por *Clarín* y, a mi juicio, será difícil encontrar en la novela española personajes más plausibles y que den mayor impresión de humanidad que este pobre soñador. Justamente, ante la palabra humanidad debemos detenernos un momento: humanísimo, sí, parece Bonifacio, y lo es si aceptamos la palabra como expresión de unas cualidades que el autor infundió en su criatura para que se pareciera al lector, para que éste la aceptara como una realidad de su misma especie. El modo de creación, que, como vimos, abarca una amplia gama de recursos, ha dado vida, *en la novela,* a un personaje que se comporta en ella como en la realidad pudiera comportarse un hombre de carne y hueso.

Para ser realista cuenta *Su único hijo* con la verosimilitud de detalle y con lo que llama Pizer «representatividad»[7]; es decir, que plan, escenario y personajes no sean excepcionales, sino representativos de lo que el lector medio aceptaría como verdadero. En este sentido, realista es la novela y realistas sus personajes. Hay que añadir, a renglón seguido, que el diseño estructural, por realista que sea, no impide el que dentro de él se muevan los personajes en otras dimensiones, apuntadas un poco en el nombre de los personajes, y en la manera de su presentación. Emma se llama como Madame Bovary, y al principio parece que va a parecérsele; no se le parece en carácter ni en temperamento, pero en ocasiones se perciben en ella síntomas de lo que se llama bovarismo, o sea, la tendencia a soñar la vida. Como ejemplo citaré lo que dice a su médico, cuando éste la deja explicarse:

> No le dolía nada, lo que se llama doler, pero tenía grandes insomnios, y a ratos grandes tristezas, y de repente *ansias infinitas, no*

[6] Ricardo Gullón, *Técnicas de Galdós, ed. cit.,* pp. 137-220.
[7] Donald Pizer, *Realism and Naturalism in 19th Century American Literature,* Carbondale, Southern Illinois University Press, 1965, p. 3.

sabía de qué, y la angustia de un ahogo; la habitación en que estaba, la casa entera le parecían estrechas, como tumbas, como cuevas de grillos, y *anhelaba salir volando* por los balcones y *escapar muy lejos,* beber mucho aire y empaparse en mucha luz. *Su melancolía a veces parecía fundarse en la pena de vivir siempre en el mismo pueblo, de ver siempre el mismo horizonte; y decía sentir nostalgia,* que ella no llamaba así, por supuesto, *de países que jamás había visto ni siquiera imaginado con forma determinada* (p. 118). [Los subrayados son míos.]

El doctor llama histerismo a estas inquietudes, pero el crítico literario puede atreverse a darles el calificativo que he sugerido.

La otra figura femenina del cuadrángulo es Serafina Gorgheggi, de nombre igualmente revelador. ¿Mensajera celestial esta Serafina? Sí, al principio, para el enamorado Bonifacio; más adelante, en su función de antagonista de Emma, en el polo opuesto del histerismo de aquélla, aparecerá ansiosa de paz, seguridad y orden. Pasado el momento de exaltación erótica, sus relaciones con Bonis, templadas por el tiempo y la costumbre, la inducen a sentimientos muy distintos de los que observamos en la página recién copiada:

> Serafina *se había acostumbrado* a su inocente Reyes y *a la vida provinciana de burguesa sedentaria* a que él la inclinaba, y a que daban ocasión su larga permanencia en aquella pobre ciudad y la huelga prolongada [...]. La falta de ensayos y funciones, la ausencia del teatro, le sabía a emancipación, casi a regeneración moral: como las cortesanas que llegan a cierta edad y se hacen ricas, aspiran a la honradez como a un último lujo, *Serafina también soñaba con* [...] *meterse en un pueblo pequeño a vegetar y ser dama influyente,* respetada y de viso (p. 148).

y que le durase «el día de Reyes», que tan pronto pasaría. La cómica, de vida azarosa e irregular, aspira a la regularidad; la burguesa, adinerada y mimada, se aburre y sueña con la aventura.

Hasta mediada la novela no adelanta al primer plano el barítono Minghetti. Observamos que la simetría estructural entre los personajes se completa cuando éste viene a desempeñar respecto a Emma una función equivalente a la de Serafina respecto a Bonifacio: uno y otro, cada cual por su lado, transforman la relación conyugal en el triángulo estructural. Y es Minghetti quien convierte a Bonifacio de «padre de familia... virtual» (p. 99), en padre de ese «único hijo» que ni siquiera será suyo. Recién nacida la criatura, Emma dirá a su marido algo que, dadas las circunstancias, suena equívocamente: « ¡Coronado, Bonis, coronado! » (p. 249), refiriéndose a la postura en que el niño estuvo en el momento del parto.

Minghetti ni se llama así ni es italiano, como tampoco lo es Serafina. Su verdadero nombre es Cayetano Domínguez, y su vida, cuando es contada, constituye una «narración del género picaresco» (p. 182).

La conocemos a través de un resumen inserto en el discurso, y sirve como elemento de contraste con la vida de Bonifacio, tan apagada y monótona. Al convertirse en amante de Emma cierra el cuadrángulo estructural y convierte en «padre» al protagonista. Minghetti es a Emma (y no sólo físicamente) lo que Serafina a Bonis. Completado el cuadrángulo, lo que en realidad contempla el héroe —ridículo a ratos, sublime al final— es la casa convertida en «*burdel*» y a todos «*amontonados*» [...], «mezcla de amores incompatibles, de complacencias escandalosas, de confusiones abominables» (p. 193). De esta reflexión y del anhelo «ideal» por el hijo ascenderá Bonifacio a la afirmación de su paternidad con que concluye la novela.

El espacio geográfico es la provincia española y, dentro de ella, una ciudad, una «pobre ciudad», hermana de Vetusta, en sustancia idéntica a la habitada por Ana Ozores y don Fermín de Pas, aunque el fondo, por lo que ahora veremos, no esté dibujado con tanta riqueza de detalles. El espacio novelesco propiamente dicho es el teatro: teatro-teatro y teatro del mundo. Indirectamente, el autor indica que vivir es representar y la representación sustituto de la vida, si no la vida misma. Y en el teatro ocurrirá la más notable mutación espacial que cabe imaginar: la sala se convertirá en escenario y los espectadores en actores. No debe engañarnos la parquedad de los diálogos; la dramatización es de sustancia y de forma, como trataré de mostrar en seguida.

Dramatización

Boris Eikenbaum caracteriza la novela del siglo XIX por el abundante empleo de «descripciones, retratos psicológicos y diálogos», distinguiendo con toda exactitud las diversas funciones atribuibles a estos últimos. Traduciré literalmente sus palabras:

> A veces se presentan los diálogos como una simple conversación que dibuja el retrato de sus personajes a través de sus réplicas (Tolstoi), o que es simplemente una forma enmascarada de narración, y, por lo tanto, sin carácter «escénico»; pero a veces toman una forma puramente dramática y desempeñan menos la función de caracterizar los personajes por sus réplicas que la de hacer que la acción adelante. Así se convierten en el elemento fundamental de la construcción. La novela rompe de esta manera con la forma narrativa y se convierte en una combinación de diálogos escénicos y de combinaciones detalladas que comentan el decorado, los gestos, la entonación, etc. Las conversaciones ocupan páginas y capítulos enteros; el narrador se limita a observaciones aclaratorias, como «dijo», «respondió ella». Es bien sabido que los lectores buscan en este tipo de novelas la ilusión de la acción escénica, y que con

frecuencia no leen más que las conversaciones, saltándose las descripciones o teniéndolas en cuenta como indicaciones técnicas nada más [8].

La importancia de la cita me excusa de su extensión.

El conocedor de la literatura española asociará inmediatamente las ideas de Eikenbaum, expuestas en 1925, a lo que Galdós había practicado magistralmente desde *Realidad* (1889), a ciertas teorías de Ortega, incluidas en *Meditaciones del Quijote* (1914), y al proceso de interiorización y dramatización del relato intentado por Unamuno. En *Niebla* (1914), el personaje y novelista Víctor Goti, hablando de cómo es la novela que está escribiendo, dice: «Lo que hay en ella es diálogo; sobre todo, diálogo» [9]. Así concuerda con su creador que prefería dejar las descripciones para obras de otro tipo, excluyéndolas de las novelas.

Las teorías de Eikenbaum son aplicables a la novela en general, y de ahí su validez. Creemos que en las ficciones y en los autores que estudiamos en este trabajo se encuentran diálogos de los tres tipos señalados por él. En *Fernán Caballero,* en Alarcón y en Pereda, la función caracterizadora del personaje parece ser la cumplida con más frecuencia; en Pereda, con más perfección; pero es sobre todo en Galdós y en *Clarín* donde vemos cómo la acción adelanta por la palabra conversacional, siguiendo precedentes ilustres, como el de *La Celestina,* en que el diálogo tiene un carácter tan dinámico que puede decirse que llena la acción, que se convierte en la acción. En *Tormento* o *Su único hijo,* la novela se dramatiza, aunque no tanto como en *Realidad* y en otras novelas de Galdós, invadidas y ocupadas por el diálogo.

En *Su único hijo,* la concentración dramática produce un acortamiento del espacio novelesco. Y cuando el espacio novelesco se contrae, la estructura del drama se impone. A la novela como sucesión de episodios, al modo tradicional de la *Odisea* o de *Don Quijote,* le sustituye la novela como sucesión de escenas. La aventura tenía sentido cuando era incitante, cuando la vida ofrecía unas posibilidades que el «héroe» contemporáneo ya no encuentra. Bonifacio es un pobre hombre aislado y aburrido que no sólo padece la tiranía conyugal, sino la pequeñez de un ámbito sin horizontes; vive en la mediocridad, que es su ambiente, y en la vulgaridad, que es su ser. Y hasta podría suponerse que es su irredimible vulgaridad la que determina la estrechez del espacio novelesco en que se mueve. Cautivo de la seguridad económica que el matrimonio le proporciona, su vida y su mundo tienen una coloración gris y desvaída.

---

[8] Boris Eikenbaum, «Sobre la teoría de la prosa», en «*Théorie de la littérature*», Textes de Formalistes Russes réunis, presentés et traduits par Tzvetan Todorov, París, Editions du Seuil, 1965, p. 200.

[9] Miguel de Unamuno, *Niebla,* Madrid, Editorial Taurus, 1965, p. 119.

Pero a las escenas sin color suceden otras que permitirán al protagonista ascender a niveles de pasión insospechados en él. La novela se dramatiza y, en momentos excepcionales, en escenas de evidente intensidad, esa dramatización altera al personaje, hasta el punto de que la vida parece tener para él algún sentido. Naturalmente, dramatización quiere decir presentación directa e intensa de la realidad, en lugar de transmisión indirecta, por vía descriptiva o narrativa, de algo ya sucedido. No sorprenderá ver que *Su único hijo* está integrado casi exclusivamente por escenas de interior, en intencionada reducción del universo novelesco a una alcoba, cuando no a un teatro. Si los diálogos parecen pobres, y en ocasiones de un romanticismo trasnochado, es porque así son el medio y el personaje. Los silencios, parte natural del diálogo, pueden ser muy elocuentes, y lo son en las escenas entre Emma y Bonifacio, que da la callada por respuesta a las intemperancias de aquélla. Los indicios verbales que relacionan la fábula con el drama, o la comedia, son muchos, y Roberto Sánchez los ha recogido en un artículo reciente [10].

La ironía de la situación puede resumirse así: el teatro, que es ficción, suplanta poco a poco a la vida, que es verdad. Y los hombres se comportan como figuras de una comedia o de un drama; esto se ve bien en la auténtica «escena» con que acaba el capítulo X de la novela. Emma y Bonifacio han regresado de la función de ópera; ella está excitada, desvelada, sádica también, e inesperadamente le dice:

> Mira, mira, yo soy la Gorgheggi o la Gorgoritos, ésa que cantaba hace poco, la reina Micomicona [...]; cógele un pie a la Gorgoritos, anda, cógeselo; las medias no serán del mismo color, pero éstas son bien bonitas; anda, ahora canta, dila que sí, que la quieres, que olvidas a la de Francia y que te casas con ella... Tú te llamas, ¿cómo te llamas tú?... Sí, hombre, el barítono te digo.
>
> —¿Minghetti?
>
> —Eso, Minghetti, tú eres Minghetti y yo la Gorgoritos... Minghetti de mi alma, aquí tienes a tu reina de tu corazón, a tu reinecita; toma, toma, quiérela, mímala; Minghetti de mi vida, Bonis, Minghetti de mis entrañas... (p. 139).

Marido y mujer viven y representan a la vez. Sería difícil, muy difícil, separar aquí vida y representación. Emma quiere ser otra y que Bonis sea otro, pero sin dejar de ser el mismo hombre que físicamente le atrae. El adulterio de Bonis parece que va a repetirse con su propia mujer, pues no es tanto a ella misma como a Serafina a la que Emma le propone tomar. Y se anticipa, a la vez, la

---

[10] Roberto Sánchez en «Teatro e intimidad en *Su único hijo:* un aspecto de la modernidad de Clarín», *Insula,* n.º 311 (octubre 1972), 3.

«caída» de Emma, cuya atracción por el barítono no puede mostrarse con más claridad.

Pero es quizá en la escena precedente a ésta, en la que ocurre en el teatro, donde el paralelo vida-comedia se establece mejor. El matrimonio acude al teatro, y desde su entrada, Emma atrae la atención y el interés del público: «Notó fijas en su persona las miradas y en los palcos cercanos oyó el murmullo del comentario [...]; en vano los coristas [...] gritaban como energúmenos; el público *distinguido* de butacas y palcos atendía al espectáculo civil que le ofrecía Emma...» (p. 128). Ella es el espectáculo y ella la protagonista. Lo que ocurre en escena no parece interesar ya al público: «Nadie se acordaba del escenario por verla» (p. 129); hasta Minghetti, cuando aparezca, estará más atento a la sala que a lo que ocurre en las tablas, y desde ellas contemplará y sonreirá a Emma.

Al comienzo de la novela se ha informado al lector de que a Bonis «no le gustaba la ficción en nada» (p. 36), pero una vez seducido por Serafina está obligado a vivir en el engaño, entre el amor y el miedo. No hay escape sino en la idea, refugiándose en la idea, insensibilizándose a la realidad tanto como sea posible. Cuando Serafina se le impone más angélicamente es al escucharle cantar la plegaria a la Virgen, que él pensó que «llegaba a narrar el misterio de la Anunciación [...], que aquella voz le anunciaba a él, por extraordinaria profecía, que iba a ser [...] madre; así como suena, madre, no padre, no; más que eso..., ¡madre!» (p. 170). Con lo demás que sigue, en difícil equilibrio entre lo ridículo y lo sublime. Ridículo, al identificarse con la Virgen; sublime, la aspiración a que el hijo sea lo que en sus sueños puede imaginar de más grande y hermoso.

La Serafina, ángel anunciador, es muy otra de la que hallaremos en la página final, y, sin embargo, también ella sirve para anunciar a Bonifacio algo sobre el hijo ya nacido. Después del bautizo del niño entra aquél en la sacristía de la iglesia, para hacer la inscripción en el libro correspondiente, y encuentra a Serafina. Cuando su antigua amante comprueba que no quiere verla, sino vivir para el hijo, se transforma de repente. El ángel le parece a Bonis, «una culebra. La vio mirarle con ojos de acero, con miradas puntiagudas [...]; le vio pasar por los labios rojos la punta finísima de una lengua jugosa y muy aguda» (p. 275), y esperó. El ángel, metamorfoseado en culebra, sustituye la plegaria por la flecha y le dice que «su» hijo no es suyo, sino de Minghetti.

El héroe, como la heroína de *La Regenta,* siente entonces una gran repugnancia. Ana Ozores, desmayada en la catedral, al ser besada por el sacristán, cree que un sapo se ha posado en su cara; Bonifacio Reyes es «como si hubiera sentido a su amada envenenarle la boca al darle un beso...» (p. 276). Pero reacciona como si el ultraje le hubiera transformado; le hubiera dado una dignidad nueva. El hombre cuyo anhelo más grande y más puro era tener un hijo, cuando cree tenerlo, averigua que es de otro. Situación risible y sin salida; es decir, sin salida aparente. He aquí al hombre, al mártir (a lo largo de la novela se le ha visto atormentado, torturado de varias maneras por Emma, pero esta escena final, junto al altar, es la del suplicio más cruel), cerca de una imagen de San Sebastián, «acribillado de flechas», que le traspasan el alma, como traspasaron el cuerpo del santo. Y si el serafín se transformó en culebra, la metamorfosis ascendente del «Apolo bonachón y romántico» (p. 56) le convierte en santo o en algo parecido.

Si no la figura, la actitud es sublime. El narrador deja la palabra al personaje, herido por la revelación de la Gorgheggi. Su ficción y su deseo han creado al hijo, han engendrado a un hijo que de verdad es suyo. Por eso la novela se cierra con el dramático balbuceo de Bonifacio, con su negativa a aceptar la verdad de los otros:

> Estoy seguro, Serafina; mi hijo... es mi hijo. ¡Oh, sí! ¡Dios mío! ¡Es mi hijo!... Pero... ¡como puñalada es buena! Si me lo dijera otro, ni lo creería, ni lo sentiría. Me lo has dicho tú... y tampoco lo creo... [...]. Cuando mañana te arrepientas de tus palabras, acuérdate de esto que te digo: Bonifacio Reyes cree firmemente que Antonio Reyes y Valcárcel es hijo suyo. Es su único hijo. ¿Lo entiendes? ¡Su único hijo! (p. 276).

El balbuceo desaparece y se resuelve en la afirmación final, que resume la razón de ser de Bonis y da a la situación la única salida que podía tener.

En ese momento se comprende con cuánta razón se negaba el héroe como Otelo y se afirmaba como Desdémona, o más bien, según él mismo se rectifica, «como Desdémono» (p. 95). No es el protagonista de un drama de honor, como el don Víctor de *La Regenta,* sino un hombre sencillo capaz de entender que el amor al hijo puede redimirle de su insignificancia y dar a su vida el sentido que sin ella no tendría.

CAPITULO VIII

VARIACIONES EN EL ARTE DE CONTAR

TÉCNICAS NARRATIVAS EN «PEPITA JIMÉNEZ» Y «JUANITA LA LARGA»

Desde su primera novela, *Pepita Jiménez* (1874)[1], don Juan Valera mostró un conocimiento muy seguro de los servicios que el narrador podía prestar a la narración, aunque quizá no tuvo idéntica percepción de los riesgos que suponía dejarle entrar y salir de ella con libertad. Como es sabido, *Pepita Jiménez* está dividida en cuatro partes: un breve prólogo, una serie de cartas del protagonista, el relato complementario de lo que en esas cartas se dice y un epílogo en donde se resumen hechos posteriores.

Tres narradores cuentan lo ocurrido: en el prólogo y el epílogo, que enmarcan la narración propiamente dicha, el informante es un narrador-autor, intermediario entre el lector y los narradores de las partes centrales del «cuadro». Este narrador-autor informa del hallazgo de ciertos papeles y de la decisión de publicarlos por considerarlos interesantes. Apenas es preciso recordar que el recurso del «manuscrito encontrado» es viejísimo, y no me parece necesario mencionar ejemplos.

Las cartas, que componen la parte más extensa de la novela, presentan al protagonista como narrador, en primera persona, claro está, dirigiéndose a un tío suyo, narrador de la sección siguiente. El narrador-protagonista es, como siempre, centro de conciencia que filtra cuanto el lector conoce: acción y personajes sólo nos son conocidos a través de sus palabras, y la perspectiva del narrador es la única ofrecida. Como lo que importa en esas páginas es la descripción de una lucha interior, de un debate entre la vocación religiosa (que resulta ser pseudo-vocación) y la pasión amorosa, el procedimiento de presentarlo desde dentro tiene indudables ventajas.

[1] La edición utilizada es la de *O. C.*, tomo I, 3.ª ed., Madrid, Aguilar, 1947. En adelante la paginación va entre paréntesis en el texto.

Fue acertado, sin embargo, cambiar en un momento dado, dejando la palabra al destinatario de las cartas, con la variación en el punto de vista que ese cambio implica. Del joven enamorado pasamos al anciano reflexivo y cauto, y pasamos, sobre todo, a ver los acontecimientos desde fuera y a otra distancia. No solamente distancia material o geográfica, sino psicológica, pues ni el tío siente como el sobrino ni ve las cosas con la desmesura con que éste las contempla. Al narrador introspectivo y apasionado de las cartas le sucede uno que sin pasión puede entender de otra manera lo que pasa. Y este narrador acude, como el narrador-autor, al recurso ya señalado: incorporación al texto de cartas, una suya y otra de su hermano (padre del protagonista), sirviendo la última para traer a la obra un tercer punto de vista, el de un personaje situado a una distancia intermedia del acontecimiento central, pues no participa de la pasión de su hijo, pero la ve crecer y la acepta con alegría, aunque esa aceptación suponga alteración de sus planes.

Volviendo al primer narrador, al del prólogo y el epílogo, bastará decir que éstos son hasta cierto punto suyos, el prólogo totalmente y el epílogo por ser él quien selecciona y extracta las cartas escritas por el padre del protagonista a su hermano después de la boda de Pepita y don Luis. Pero hay más: anticipando lo que haría el narrador de *Juanita la Larga* (1895), el de esta novela asoma en ella con frecuencia. Antes de comenzar su narración, el destinatario de las cartas advierte que nos quedaríamos sin averiguar cómo acabó el incidente novelesco «si un sujeto, perfectamente enterado de todo, no hubiese compuesto la relación que sigue» (p. 153), y más adelante, después de dos o tres apariciones equívocas, ya que ciertas reflexiones pudieran ser suyas, se deja ver de nuevo, o para «notar el carácter de autenticidad» de los *Paralipómenos,* o para aplaudir «la mucha conciencia» del «autor», o para afirmar el cariño que siente por Pepita.

Alguna vez la irrupción del narrador-autor es franca y desembarazada; se anuncia incluso con alarde: «Aquí vuelvo yo, como responsable que soy de la publicación y divulgación de esta historia, a creerme en la necesidad de intercalar varias reflexiones e intercalaciones de mi cosecha» (p. 181). Así dice al contar la decisión del protagonista de unirse con Pepita, y durante dos o tres páginas hace comentarios sobre la situación y sobre el modo como se describe en el manuscrito, explicando por qué el autor de éste escribió como lo hizo y no de otro modo. Estas páginas son, en realidad, un paréntesis, diferente, pero funcionalmente análogo al que se produce en *Juanita la Larga* y que en su momento reseñaremos.

La descripción de la boda, a que no asistió el tío, la toma a su cargo el narrador-autor, llenando una laguna que, dado lo que es la obra, exigirá ser colmada. Su intervención en el epílogo ya hemos indicado cuál fue, y con ella se cierra la novela. Creemos que la utilización de tres narradores contribuye a romper la monotonía en que una obra de tan escasa acción exterior pudiera haber incurrido de ser contada desde una sola perspectiva. La diversidad de puntos de vista ensancha el mundo novelesco haciéndolo más variado y rico. Conocemos mejor a los personajes, incluso al narrador, tan interesado en la novela y tan finamente integrado en la estructura. La tentación de ingerirse en ella se produjo aún más enérgicamente en *Juanita la Larga* [2], donde recuerdos e impresiones se agolpan, hasta el punto de que casi sería posible decir que hay una novela del narrador, no escrita, pero sí esbozada, junto a la novela que él mismo está contando. En muchos capítulos aquella historia rememorante aparece, y en no pocos las apariciones se repiten tres y cuatro veces, dando la impresión de que el narrador no puede dominar al autor, de que éste, saltando sobre la criatura que él mismo creó para comunicarse con el lector, quiere ponerse en primer plano, como si sus recuerdos fueran más interesantes que una invención, que de todas maneras no tiene, según él, otro valor que el de ser una historia «fiel y veraz» (p. 529).

En la dedicatoria de *Juanita la Larga* se dice que la obra era «copia exacta de la realidad» (p. 529), «espejo o reproducción fotográfica de hombres y cosas» (p. 529) de su tierra. El hecho de que la protagonista y su madre figuren en un artículo de costumbres («La cordobesa») anterior a la novela, indica que Valera habla con sinceridad. Quizá se sentía justificado cuando del incidente novelesco pasaba al recuerdo o la reflexión personal por creer que todo pertenecía al orden de la realidad vivida y nada al de la ficción inventada.

El resultado de esta creencia es la incorporación del autor a la novela, la dramatización del narrador, irresistiblemente inclinado a comentar lo que sucede, subrayando lo que los personajes dicen o lo que el mismo cuenta, para destacar una insinuación, un silencio, una posibilidad. A este respecto es característica su actitud frente a las relaciones de don Andrés y doña Inés, a las que nos referimos en seguida.

Desde el comienzo señala el narrador su relación personal con la materia novelable. «Cierto amigo mío» (p. 530) está entusiasmado con el pueblecito andaluz que representa en Cortes, y habla con gran elogio de un cacique que allí le servía, y del secretario del Ayuntamiento que le secundaba. Puesto a contar algo de ellos, pudo limitarse a referir el cuento, pero según le ocurrió al escribir *Pepita Jiménez,* tal cosa no le fue posible, no armonizaba con su temperamento. Ya en el capítulo II interviene para reputar «calumniosas» ciertas «habli-

---

[2] Cito *Juanita la Larga* por el tomo de *O. C.* Las páginas correspondientes van entre paréntesis.

llas» (p. 532) relativas a un tercer personaje, y para sugerir por primera vez lo que pudieran ser las relaciones entre el cacique, don Andrés y doña Inés.

Estas relaciones se presentan como platónicas, inspiradas en afinidades espirituales y por eso mismo no comprensibles por el vulgo. La reflexión es del narrador, que una y otra vez, después de aludir a la amistad entre esos personajes, dirá algo sobre su carácter, explicando o justificando lo que de ser como él lo pinta no necesitará disculpa alguna. Sus intervenciones resultan ambiguas, pues insinúa una posibilidad al mismo tiempo que la niega. A la mitad de la novela, en el vigésimocuarto capítulo, los indicios verbales apuntan en una dirección que el narrador parece confirmar: «Ella [Inés] *podría ser, o era, más o menos pecadora. Yo no he llegado a ponerlo bien en claro,* de suerte que al ir escribiendo esta historia *lo probable es que lo deje turbio o nebuloso*» (p. 578). (Los subrayados son nuestros.)

Lo hipotético parece probable cuando se insiste en la dificultad de poner en claro la conducta del personaje, y se advierte que todo habrá de quedar «turbio o nebuloso» (o turbio y nebuloso, como, en definitiva, queda). El narrador en cuanto memorialista y el narrador en cuanto comentarista, desdoblados de modo curioso, se confirman, y por esta confirmación e insistencia van abriendo los ojos del lector y dirigiendo su mirada hacia algo tal vez no tan inocente como en principio parecía. En ese mismo capítulo vuelve a apuntar en la dirección que le interesa, cuando hablando de que doña Inés ha de ir al cielo derechita, dice: «contando con la misericordia de Dios» (p. 578). Creemos superfluo este comentario desde el punto de vista de la narración misma, pero no en cuanto sirve para subrayar otra vez lo equívoco de una actitud y de un personaje.

En el capítulo de que tomamos los anteriores ejemplos la presencia del narrador es activa y frecuente: allí se dirige al lector, llamándole «pío» (p. 578), sin duda irónicamente, puesto que lo dice cuando se disculpa por repetir que la doña Inés «estaba aún muy guapa» (p. 578). El narrador se complace en destacar esta circunstancia, complacencia reveladora del carácter, nada insensible a la belleza femenina, pero nos parece que si insiste es con intención de que el lector entienda la docilidad con que don Andrés sirve a la dama.

Sin detenernos en todos los pasajes pertinentes, señalaremos algunos más, muy significativos. Se hallan en un capítulo, cuyo comienzo expone las perplejidades del narrador frente al personaje. Las exigencias del relato le habían impuesto una figura novelesca que no entendía bien, o que simulaba no entender bien: «Era doña Inés López de Roldán personaje de carácter tan enrevesado y complejo, que *a menudo me arrepiento de haberla sacado a relucir como una de las dos heroínas* de esta historia, porque hallo difícil describirla bien *y transmitir a mis lectores concepto igual al que tengo formado de ella,* investigando y dilucidando con claridad el móvil de sus pasiones y de sus actos» (p. 613). (Subrayados nuestros.)

Lo «enrevesado y complejo» del carácter es lo que preocupa al narrador, que hasta se arrepiente de haberla inventado por las dificultades que presenta describirla y (esto es lo importante) transmitir al lector una imagen del personaje que corresponda bien a la concebida por él. Manifiesta así el temor de que le falten palabras para crear o recrear una complejidad que le atrae, y ese temor ha de parecer infundado al lector que lleva doscientas páginas admirando la destreza con que la novela va desarrollándose. Y no sólo infundado, sino, en nuestra opinión, retórico: un recurso de estilo para volver, dando un rodeo, a las oscuridades que pretendía iluminar haciéndolas más oscuras.

Acudirá a explicar esas sombras reconociendo en doña Inés el alma que ella se suponía: sensual, sentimental y pura. Esta división es cómoda, pues permite a quien la siente entregarse a los placeres sin que se contamine la parte superior del ser. Y la división sirve al narrador para explicarse y para explicar el personaje: «Sólo de este modo atino a entrever el tenebroso enigma de su figura moral y de su extraña condición y naturaleza» (p. 613). Definitivamente, bajo la luz hay una noche tan oscura (y no del alma) que el narrador ha creído necesario salir de su teórica objetividad y de su relativa omnisciencia para asegurarse de que las sombras no se diluyen en una lectura poco atenta.

Ingerencias menores del narrador en la narración se producen para dirigirse retóricamente al lector, para apuntar una posibilidad que en el relato está negando o para hacer una generalización más o menos extemporánea, por ejemplo, cuando se refiere al modo en que don Paco entiende ciertas expresiones de la protagonista, dice: «Todos los hombres, abuelos y nietos, solemos prometérnoslas felices y casi siempre nos inclinamos a dar la más favorable interpretación a cuanto dicen las mujeres que pretendemos» (p. 541). Por vía de reflexión comenta sobre circunstancias de un personaje (capítulo IX) o asocia los placeres del pueblo con los que sus recuerdos personales o erudición le hacen presentes (capítulo XIII).

Vimos cómo en sus relaciones con el lector podía ser insinuante y persuasivo. En otros momentos trata de eliminar sus dudas o sospechas, como cuando, al revés que en el caso Andrés-Inés, se esfuerce por mostrar como inocente la amistad entre Juanita y Antoñuelo. Percatado de que se pudiera pensar que esa amistad tiene un trasfondo erótico, reconoce: «Tal vez parecerán inverosímiles a quien piense someramente en ello, pero yo creo...» (p. 573). Y esa creencia es la que supone que el lector hará suya, siguiendo la argumentación generalizante del narrador: «Sentimientos tales, si bien se recapacita... Todos o casi todos los hombres tienen sed, tienen necesidad de venerar y de adorar algo» (p. 574).

Alguna vez se inhibirá, hasta cierto punto: «De esto no respondemos. Puede que sea calumnia. Lo contamos porque lo hemos oído contar» (p. 557). Es otro ardid retórico, una confesión de ignorancia que contribuirá a que se acepte su palabra cuando en vez de inseguro se presente convencido. Su candor aquí garantiza su sinceridad más tarde.

La dramatización del narrador a que antes nos referimos se acusa en múltiples detalles y poco a poco vamos entendiendo que quien aparece entre líneas tiene no pocas semejanzas con el autor mismo. A nuestro juicio, el desdoblamiento narrador-autor implícito se produce cuando la ingerencia en el texto no es tan sólo reflexión, apostilla o comentario a que el narrador puede haber sido arrastrado por el curso de la narración misma, sino cuando toma forma lo que pudiera llamarse novela del narrador (del autor) que echando mano de sus recuerdos se ofrece como testigo de algo relacionado con el asunto de que se trata: «En los lugares, al menos hace algunos años, pues no sé si habrán variado las costumbres, nunca salía una señora principal de visita o de paseo sin llevar a una acompañanta» (p. 577). La experiencia del narrador entra en juego, como, de modo más terminante, había entrado en el capítulo anterior.

«Ruego al lector —leemos allí— que me dé entero crédito y que no imagine que son ponderaciones andaluzas o que mis simpatías hacia Juanita me ciegan. Lo que digo es la verdad exacta, pura y no exagerada. Yo he estado en Villalegre; he visto algunos trajes hechos por Juanita, y me he quedado estupefacto. Y cuenta que yo tengo buen gusto. Todo el mundo lo sabe» (p. 576). No es un caso de narrador-personaje, pues no desempeña en la acción papel alguno, sino de narrador que conoce al personaje fuera de la novela y ofrece testimonio de ese conocimiento.

La tentación de entrar en la novela se revela irresistiblemente. El capítulo treinta y seis es un paréntesis costumbrista intercalado en ella; no una desviación, sino una concesión al gusto de recordar tiempos pasados, que no puede decirse que sea totalmente extemporánea, pues, además de servir una función ambiental, llena el hueco impuesto a la narración por la protagonista. Nos interesa destacar que en ese fragmento el narrador, que lo empieza como si fuera a describir las procesiones del pueblecito inventado, se desliza sin transición a las que él vivió en su infancia, en un ayer «real» y no creado: «Las procesiones de Semana Santa empiezan el miércoles y terminan el sábado. Yo, que las he visto en mi niñez, en otra población donde son parecidas a las de Villalegre, conservo de ellas el más poético recuerdo, por donde imagino que las personas que las censuran carecen de facultades estéticas o las tienen embotadas» (p. 604). Desde ahí hasta el final del capítulo, el narrador *recordará* y comentará esos recuerdos, entrando en hipotética controversia con los detractores de un espectáculo que le encantaba y refiriendo lo que vio a lo que en el pueblo imaginario estaba ocurriendo.

En los últimos capítulos disminuyen sus intervenciones, la acción se precipita y el narrador ha de entregarse a la tarea de contar sin detenerse a comentarla. Asoma, es cierto, en alguna imagen, como la de Juanita, vencedora de don Andrés, vista como el Arcángel San Miguel, y también (y esto es inevitable en Valera) cuando los personajes, como él pensaría, son reminiscencias de figuras clásicas o bíblicas, pero ya sin las intrusiones de los capítulos precedentes.

Palabras preliminares sobre «Morsamor»

Ni «autobiografía espiritual», como la llama Krynen [3], ni reflejo del *Persiles,* como opinó Gómez de Baquero [4], *Morsamor* (1899) pertenece a un género literario perfectamente caracterizado y bien conocido por su ilustrado autor: el tipo de cuento fantástico que los alemanes llaman *märchen* y que se caracteriza por su simbolismo más que por su psicologismo. Esto explicaría el hecho de que Valera se preocupara menos de caracterizar a los personajes como individuos que de presentarlos como encarnaciones de figuras arquetípicas: el anciano que anhela recobrar la juventud, el diablo encarnado, el mago dotado de poderes sobrenaturales, por un lado, y, por otro, la mujer idealizada y la sirena corruptora, ésta asistida a su vez por diablos de menor cuantía.

Al conocedor de la obra de Valera no le sorprenderá que lo hiciera de modo sonriente y un tanto burlón, sin tomarse demasiado en serio y sin propósitos trascendentales. Una y otra vez declaró, y en el prólogo de esta novela volvió a hacerlo, que su propósito no era aleccionar, sino distraer, entretener al lector: «Yo sólo pretendo

[3] Jean Krynen, *L'esthetisme de Juan Valera,* Salamanca, Acta Salmanticensia, 1946, p. 67: «*Morsamor,* le dernier roman de J. Valera, est une autobiographie spirituelle.»

[4] Eduardo Gómez de Baquero (Andrenio), «Crónica literaria», «La última novela de D. J. V. ¿Nuevo *Persiles*? El ocultismo en *Morsamor* y en otros libros del Sr. Valera», *La España Moderna,* XI (septiembre 1889), pp. 146-155.

Montesinos señala cierta semejanza entre *Morsamor* y el *Persiles:* «Algo hay de todo esto, sin duda, y en su ancianidad, los ojos nublados por las cataratas, Valera se da a soñar, como Cervantes, hazañas maravillosas por remotos mares, y sus personajes, si no por tierras del Septentrión, yerran por la India lejana que los portugueses entran a saco. Pero, naturalmente, esta manera de fabulación que se ahorra da todas las leyes establecidas por el nuevo arte de escribir novelas es, con todo, más circunspecta que la desenfrenada de Cervantes», *Valera o la ficción libre,* Madrid, Editorial Gredos, 1957, p. 184.

divertir un rato a quien me lea, dejando a los sabios enseñar y adoctrinar a sus semejantes» [5]. De ahí que su simbolismo no se tiña nunca de pedagogía, y pueda ser aceptado por el lector en los propios términos en que se le ofrece.

El interés de Valera por Goethe se mantuvo a lo largo de los años; prueba dejó en artículos publicados en diversas fechas, como ha señalado Cyrus C. DeCoster [6], y en *Las ilusiones del doctor Faustino.* No apuraré el paralelo entre *Fausto* y *Morsamor,* porque es tarea ya realizada por otros; pero sí señalaré que las coincidencias entre ambas obras no se limitan a la no muy grande que puede darse entre sus respectivos protagonistas, ya que, salvo el deseo de rejuvenecerse, que ambos tienen en común, no se parecen gran cosa. Aparte de la semejanza de Tiburcio de Simahonda con Mefistófeles, hay en los dos textos un fondo de ocultismo y prácticas mágicas cuya analogía parece clara. Y así había de ser, pues sin magia más o menos blanca, más o menos negra, estas obras no hubieran llegado a escribirse.

La referencia de Avalle-Arce al *Conde Lucanor* [7] es acertada: entre la historia de don Illán y la de Morsamor la semejanza resulta evidente, y no sólo en lo temático, sino en lo estructural: el desengaño en un sueño (lo cual lleva de modo casi forzoso a citar al Duque de Rivas, como hace el mismo Avalle-Arce [8]), siendo el sueño el eje de la fábula y el desengaño su conclusión. Seguimos moviéndonos entre arquetipos, el más ilustre de los cuales sería, sin duda, *La vida es sueño,* de Calderón de la Barca. El sueño, para Morsamor, es vida, mientras para Segismundo la vida es sueño: ilusorias las grandezas y los elementos de poder, que se desvanecerán como si hubieran sido soñados.

---

[5] JUAN VALERA, *Morsamor,* Barcelona, Editorial Labor, 1970, p. 45. Por esta edición citaré, poniendo la paginación entre paréntesis en el texto.

La misma idea, apuntada en el prólogo, la había expuesto en sus *Apuntes sobre el nuevo arte de escribir novelas,* Madrid, Imprenta y Fundición de M. Tello, 1887, pp. 11-12: «En lo antiguo se escribían las novelas para divertir, para ensanchar el corazón, para distraer con bellas ficciones los ánimos que se contrastaban con la vulgar y prosaica realidad de la existencia terrena», lo cual, según VALERA —y parafraseo—, se ha perdido en nuestros días.

[6] CYRUS C. DECOSTER, «Introducción» a *Las ilusiones del doctor Faustino,* Madrid, Editorial Castalia, 1970, pp. 22-23.

[7] JUAN BAUTISTA AVALLE-ARCE, «Introducción» a la *ed. cit.* de *Morsamor,* p. 33: «En la raíz de todo esto, Valera puso el castizo tema del desengaño, al que llegó, en esta oportunidad, por vía del *Conde Lucanor* del príncipe Don Juan Manuel, en el ejemplo del deán de Santiago y Don Illán de Toledo.»

[8] «Introducción», p. 33: «Valera no sólo cita este ejemplo al final de *Morsamor* (*vide infra,* nota 155), sino que en su *Florilegio de poetas castellanos del siglo XIX,* al tratar del drama del DUQUE DE RIVAS, *El desengaño en un sueño,* inspirado en dicho ejemplo, añade: "Quien esto escribe también la tomó [la idea] por base de su novela *Morsamor* (*O. C.,* II, p. 131a)"».

Estructura novelesca

La estructura novelesca estará, pues, influida por estos conceptos y por estos arquetipos. El cuento fantástico aparecerá enmarcado en dos momentos «realistas», o, mejor dicho, la aventura en el marco de lo estático. Dividida en tres partes, de extensión desigual, la novela propiamente novelesca ocupa la intermedia y más extensa, mientras que la primera y la tercera tratan sobre todo de estados de ánimo: de frustración y desesperanza en una, y de aceptación y desengaño en la otra.

La tercera parte es continuación de la primera; la segunda, el intermedio de las aventuras, del «sueño», que es la otra vida de Morsamor. Hay una relación clara entre aquéllas y ésta, la que corresponde a la estructura enmarcada: el sueño que es vida ocupa el centro, es el cuadro, mientras la vida sin sueño, o con sueño incipiente (sueño de vivir en la primera parte y sueño de sobrevivir en la tercera), se desliza en las que constituyen el marco.

Existe una afinidad y un contraste entre el acontecer de la central y lo que ocurre en las que la rodean. Y, claro está, que tanto la afinidad como la diferencia sirven para establecer entre ellas correspondencias que operan sutilmente en el lector, aun cuando no sean demasiado visibles. Tal es su fuerza: esa especie de influjo sobre el inconsciente del lector, que reacciona frente a esos paralelos o esas antítesis sin necesidad de establecerlos lógicamente.

La afinidad consiste en una circularidad que en las partes enmarcantes se manifiesta en el hecho de que al final hallamos al protagonista en el punto de partida: el viejo Fray Miguel es otra vez un fraile caduco y enfermo, como al comienzo; su vida ha dado un giro completo en el sueño, pero el despertar le deja donde estaba. En la parte central, Morsamor siente la obsesión de esa misma circularidad; quiere dar la vuelta al mundo y regresar al punto de partida. Ambición de retorno que, en el caso de lograrse, le llevaría al punto donde comenzaron sus aventuras. La lección de la circularidad es la misma en ambos casos: los afanes mundanos, los empeños de gloria no llevan a ninguna parte, sino a nosotros mismos. Y es significativo el hecho de que tanto en lo enmarcado como en el marco, Fray Miguel-Morsamor acabe en la muerte.

El contraste estructural no es menos interesante y se basa en la antítesis sueño-realidad. Las aventuras son puro dinamismo, agitación mecánica, desplazamiento de un punto a otro; la vida en el convento es quietud (aunque no sin inquietud), estatismo y, a la postre, espera del final. El vivir del hombre se reduce a poco más que esta dialéctica de la agitación y la calma, resuelta, en uno como en otro caso, con la muerte. La muerte da sentido a la vida, a la de Fray Miguel como a la de Morsamor y a la del lector.

La vinculación tradicional vida-sueño se mantiene, pero a la vez se invierte: el sueño es vida; el sueño de Fray Miguel es la vida de Morsamor, figura inventada por aquél y viva en su sueño, como en él viven nuestras esperanzas, compensando al soñador de las frustraciones de la vigilia. El caballero que se llamó Morsamor es mencionado de paso, al comienzo, pero su novela, la novela, que es la que al lector distrae y entretiene (como quería Valera), es nada menos que una creación realizada en sueños por el alma triste de Fray Miguel. Vive vicariamente, por representación, pero al fin vive o cree vivir, que es casi lo mismo; si hay desengaño es porque él, ayudado por los filtros del Padre Ambrosio, imaginó y vivió el engaño en el sueño.

Espacios novelescos

Si estudiamos los espacios novelescos en relación con la estructura, observamos de inmediato sus correlaciones. Tres son los espacios, correspondientes a las tres partes de que la novela consta: «En el claustro», «Las aventuras» y «Reconciliación suprema». Mas, debido a la circularidad estructural (semejante a la que encontramos en *Tirano Banderas,* de don Ramón María del Valle-Inclán), los podemos reducir a dos; la primera y la tercera parte se unen y vienen a formar uno solo: el espacio cerrado del claustro, que enmarca el espacio abierto, los sueños de Morsamor, contados en la segunda parte.

Fray Miguel de Zuheros, viejo monje, vive enclaustrado en un convento, encerrado en sí mismo, sufriendo en silencio la amargura que le corroe, al presentir su muerte próxima sin haber conseguido la fama que inmortalizase su nombre. Fray Ambrosio, compañero de enclaustramiento, viejo sabio aficionado a las ciencias ocultas y a la magia, que practica en el convento, único sitio seguro en la época para hacerlo, debido a la Inquisición, adivinando sus penas, le ofrece como solución vivir una nueva vida. Fray Miguel acepta y se pone en manos del sabio, que, gracias a sus magias, lo convierte en rico y joven galán, Morsamor, que se pasea por las calles de Lisboa, capital del mundo en la época de los descubrimientos. El remozado Fray Miguel piensa conseguir entonces el renombre no alcanzado en su vida anterior.

Del espacio cerrado del convento hemos pasado al «amplio y pasmoso teatro del mundo» (p. 320) de los sueños, pues toda la segunda parte, la historia de Morsamor, nombre que adopta Fray Miguel en el siglo, es un sueño, y es en él donde nuestro héroe protagonizará inauditas aventuras. El contraste de los dos espacios, el cerrado del convento y el abierto del mundo, lleva aparejado el que se puede establecer entre el monje y su remozada versión. El fraile es introvertido, vive metido en sí, silencioso; las tapias que rodean el claustro son el límite de su entorno. Morsamor, por el contrario, es hombre comunicativo, extrovertido, sus límites son la redondez del globo terrestre, que circunvalará. El uno tendrá muerte santa, recibirá confesión y extremaunción; mientras que Morsamor, como su simbólico nombre indica, morirá ahogado besando a la sirena donna Olimpia.

En ambos espacios se da otra coincidencia interesante: la presencia del Padre Ambrosio en los capítulos que sirven de marco se corresponde con la del sabio Sankaracharia en la parte central. Este último es también un sacerdote, un lama, un hombre de Dios, que no sólo puede leer en el futuro, como aquél, sino, lo que tal vez sea más notable, en el corazón de los hombres. Uno y otro aleccionan y ayudan, cada cual a su manera, a los entes en que cristaliza la figura central: Fray Miguel y Morsamor; uno y otro practican la magia blanca, que, en última instancia, sirve para poner un poco de consuelo en las almas. Su función de iniciadores y maestros es la misma, aunque con la diferencia importante de que será el Padre quien prepare al viejo desengañado para el viaje del que no se regresa.

Pero el contraste o la coincidencia no debe hacernos olvidar que ese inmenso espacio en que Morsamor se mueve es el cerebro del monje, la imaginación del hombre, que todo lo abarca, incluso lo demoníaco, pues un nuevo Mefistófeles, en forma de escudero, Tiburcio de Simahonda, le acompaña en sus aventuras, y es su confidente y amigo.

La realidad, la vida del convento y la imaginación, *El gran teatro del mundo,* vivido en sueños, se mezclan en el cerebro de Fray Miguel-Morsamor. Y las vidas vividas en esos dos espacios tienen el mismo significado: «De todos modos, aunque tu gloria hubiese sido soñada, tú has sabido mostrarte capaz de esa gloria, y aunque hayan sido soñados tus delitos, también eres responsable de ellos, aunque no en tanto grado» (p. 321). La vida vivida en sueños se iguala a la vida «real», a diferencia de *La vida es sueño,* donde la realidad tiene una consistencia que el sueño no puede alterar. Sólo se sueña la vida cuando se equipara la personalidad con el papel que socialmente se representa, y se vive para lo transitorio en vez de para lo permanente. Los poderes del alma se realizan también en el sueño: «Antes de que mi magia se emplease en ti, tú no habías sido héroe y, además, dudabas que pudieses serlo. Ahora, aunque puedas dudar de que en realidad lo hayas sido, no puedes dudar del poder que para serlo había en tu alma» (p. 323). Y es entonces, en la tercera parte de la novela, cuando Morsamor, vuelto a ser Fray Miguel, se da cuenta, al despertar, de la equivalencia vida-sueño; en ese punto destaca con claridad el tema central de la obra: el desengaño.

TEMA Y ESPACIOS

El desengaño igualará lo soñado y lo vivido:

> Convencido estoy [dice el fraile] de que has querido *darme una lección moral,* parecida en su traza a la que dio don Illán de Toledo, famoso mágico, a cierto ambicioso Deán de Santiago. Tú, con todo, no has querido demostrar que yo soy ingrato. Tú estabas seguro de mi gratitud. Más alta era la moraleja que de mi historia, semejante a la que refirió al Conde Lucanor su consejero Patronio, has querido tú sacar ahora [...]. *Has querido curarme de mi ambición desesperada* [...]. Mi sed de poder y de gloria *aquietó y sació con satisfacciones soñadas.* Hoy, al reconocer que fueron sueño, reconozco también *la vanidad de tales satisfacciones soñadas, aun cuando sean reales* (p. 327). [Los subrayados son míos.]

La obra de don Juan Manuel es el arquetipo, base de la historia que se cuenta, y viene a remachar y a ilustrar el tema central, que Valera en otra de sus obras explicó así: «Consiste dicha idea fundamental en poner una historia, cuyos diversos acontecimientos y final desenlace ocurren en un sueño, resultando de todo una lección moral y un saludable desengaño» [9]. Tema de hondas raíces no sólo en la literatura española, como ha señalado Otis H. Green [10], sino en la literatura universal.

El tema impondrá, a su vez, la alternancia espacial. En la primera parte, Fray Miguel de Zuheros es un viejo fraile que «por nada se distinguía» (p. 51); para ser desengañado ha de vivir la vida anhelada de aventurero famoso. Morsamor, haciendo descubrimientos, enamorando a las más hermosas, morirá abrazado a una de ellas [11]. Acabado el sueño, Fray Miguel es «otro»: «Tal vez sin los últimos sucesos de mi vida, ora sean imaginarios, ora sean reales, no hubiera sobrevenido en mí esta transformación, esta conversión que califico de dichosa» (p. 326). El desengaño exigía el engaño; por eso el personaje vive la segunda vida en sueños. Al volver a la «realidad» sentirá la futilidad y la fugacidad de sus glorias.

---

[9] «Introducción», p. 33.

[10] OTIS H. GREEN, *Spain and the Western Tradition,* Madison, The University of Wisconsin Press, 1966, IV, pp. 43-76.

[11] JOSÉ F. MONTESINOS, *op. cit.,* p. 182: «Fray Miguel de Zuheros, a quien es dado vivir en pocos momentos y por parte de magia toda una vida de estupendas aventuras, despierta a la razón para convencerse de que no valía la pena, pues todo fue sueño vano.»

Y, aún más, el tema y los espacios configuran el personaje y determinan sus cambios. Para ser desengañado tenía que ser otro, vivir la vida que en su imaginación anhelaba como ideal —la de descubridor, la de héroe, la de Morsamor—. El espacio de los sueños es el marco ideal para un soñador; el convento, el ideal para un desengañado. Al claustro «vuelve» convertido en un ser humilde y resignado, y en él espera la muerte, que habrá de darle verdadera vida inmortal.

TIEMPO

En los dos espacios de la novela, el convento y los sueños, el «locus» tiempo es, en principio, sucesión cronológica. Su desarrollo es lineal, y se divide en días, horas, minutos y segundos. La primera y la tercera parte, unidas por la circularidad estructural, son estricta continuación una de otra, si atendemos únicamente a los hechos narrados: el viejo fraile que en una dejamos enfermo y amargado, reaparece en la otra a punto de morir. No ha habido ningún salto temporal. Lo mismo ocurre en la segunda parte: las aventuras de Morsamor se suceden en una línea de progresión cronológica, desde que sale de Lisboa hasta que al regreso se ahoga en las costas de Portugal.

Sin embargo, la importancia de la evolución cronológica se ve oscurecida cuando lo que se pretende es presentar la conciencia de una persona, en este caso la de Fray Miguel. Entonces el tiempo es interior y da la impresión de haberse detenido:

> El bien y el mal de cuanto había hecho se le aparecían como presente y no como desvanecido y pasado, y al mismo tiempo hacían irrupción en su espíritu, en tropel contradictorio y confuso, triunfos y derrotas, crímenes y virtudes, gloria y oprobio y mil portentosos lances y sucesos, que flotaban sin encadenamiento que los ligase, en un porvenir nebuloso [...]. Lo que en su mente era simultáneo no podía menos de sucederse en el soliloquio, pero lo que él interiormente se hablaba carecía de conclusión y de principio y se manifestaba todo a la vez (p. 85).

Si se me permite la expresión, diré que el tiempo es atemporal; el enlace cronológico es innecesario en el «no-tiempo», el pequeño instante de la evolución lineal del tiempo a que estamos acostumbrados ya no significa realmente nada. Ya lo dijo Valle-Inclán en *La lámpara maravillosa:* «Cuando se rompen las normas del tiempo, el instante más pequeño se rasga como un vientre preñado de eternidad» [12]. Y es desde ese instante, desde ese tiempo, el de la conciencia, desde

[12] RAMÓN MARÍA DEL VALLE-INCLÁN, *La lámpara maravillosa,* en *Obras Completas,* Madrid, Editorial Rivadeneyra, 1944, I, p. 785.

donde el personaje contempla la sucesión cronológica, como algo no incompatible con la quietud de la reflexión.

En determinado momento se pasa del ayer novelesco al presente en que la novela está siendo escrita; este momento es importante desde diferentes puntos de vista. Me atendré ahora a lo relativo a la temporalidad, reservando para más adelante otras consideraciones. El paso del ayer al hoy está muy hábilmente dispuesto: ocurre después de una conversación entre Morsamor y el sabio Sankaracharia, dotado de poderes mágicos; esos poderes le permiten descubrir el futuro y hablar de sucesos y de personas que tardarán siglos en ocurrir o en aparecer. Hay alusiones a cierta dama germano-rusa que en el siglo XIX renovará los estudios teosóficos, y es entonces cuando el narrador, dando por supuesto que el lector comparte su interés y sus conocimientos, dice: «Ya suponemos que el pío lector habrá adivinado que Sankaracharia, aunque no la nombra, alude a la señora Blavatsky» (p. 263). Y a renglón seguido se permite un nuevo y más libre anacronismo: «Todavía Morsamor, no satisfecho con las primeras nociones de aquella ciencia nueva, imitó proféticamente lo que hacen los periodistas del día en las *interviews* y siguió preguntando» (p. 263). Esta asociación del personaje antiguo con los reporteros de hoy es una disonancia irónica, que parece sugerir en aquél unos modos de comportamiento ajenos a su época.

Como quiera que sea, la irrupción del presente, las referencias a lo que pasa «ahora» en Europa, a lo que ocurre «entre nosotros» y no en el mundo ficticio, contribuyen a distanciar al lector, situándolo en una perspectiva moderna y reconociéndole cargado de una suma de conocimientos que sin esa modernidad no podría tener, a no ser que le fueran comunicados por un hombre como Sankaracharia, capaz de leer en lo porvenir con la soltura de que en esas páginas hace gala. Y será esta mezcla (aunque no fusión) de tiempos lo que al favorecer el distanciamiento del lector le permitirá leer como el autor esperaba que se leyera: sin comprometerse demasiado en la lectura, sin tomar muy en serio la lectura; entendiendo que a la postre no se trata más que de un entretenimiento intelectual, aunque éste puede ser por momentos tan persuasivo que, cogiéndole desprevenido, le impulse, o casi, a aceptar la realidad de la distracción como la realidad a secas.

Idéntica manipulación con el tiempo ocurre en otros momentos. Si el narrador decide exponer ciertas cosas contadas por Sankaracharia, a pesar de considerarlas impías y absurdas, lo hace para que el lector, además de tener noticia de ellas, pueda compararlas con un texto moderno, del momento en que la novela se escribe (finales del siglo XIX) o de poco antes; de «no hace mucho tiempo». Y al final de la novela mencionará, entre los sinólogos que pudieran proporcionar noticias semejantes a las dadas por Morsamor, a don Sinibaldo de Más, contemporáneo y amigo de Valera.

Se reitera el esfuerzo por llevar al lector del pasado al presente, como para recordarle que ese pasado es también de hoy, inventado en el presente por alguien que, aun siendo cronista fiel de sucesos ocurridos, ni los vivió ni está dentro de ellos, sino fuera y junto a los lectores [13].

Ningún fragmento de la novela se permite anacronismo tan ingenioso como el dedicado a contar el retiro de Morsamor en cierta gruta situada en los cerros cercanos a Macao. Esta gruta pudiera hacerla célebre el narrador desde el presente, refiriendo cómo en ella meditaba a solas el protagonista de la novela, pero, según él dice, «nos ahorra el trabajo de darle celebridad la que ya tiene desde antiguo por la circunstancia de haber imitado a Morsamor, sin saberlo, el glorioso poeta Luis de Camoens, que pocos años después solía ir allí a meditar y a entregarse a los más poéticos soliloquios» (p. 271). El narrador, consciente de sus poderes, no necesita utilizarlos para hacer famosa la gruta, porque ésta ya lo es, por un hecho, por una coincidencia que nos retrae al pasado, aunque a un pasado ligeramente más cercano. Hay, pues, tres tiempos en esta frase: el pasado novelesco (Morsamor), el pasado histórico (Camoens) y el presente, que el narrador trae a la narración al dejarse ver reflexionando sobre un acontecer extranovelesco.

Narrador y lector

Al escoger a *Morsamor* como la novela de don Juan Valera que convenía estudiar con más detalle, lo hice pensando en que se trataba de la más complicada y de la que más se diferenciaba de las otras suyas. Obra de elaboración lenta y de riquísima textura [14], su análisis lleva, como ya se habrá observado, a campos muy diferentes de la cultura universal. Y aun dejo de lado, casi en absoluto, las múl-

---

13 Esta técnica ha sido muy bien expuesta por A. A. Mendilow (London, 1952), al cual cito por la antología de Philip Stevick, *The Theory of the Novel, ed. cit.*, p. 255: «The twentieth century reader of a historical novel has certain initial difficulties to overcome: the change of perspective and the strangeness of atmosphere. But even in such novels as enter deeply into the spirit of the periods treated [...] he is helped in his understanding of those far-off events by reading a rendering of them made by a co-eval; he sees through the eyes of one of his own age who in effect is interpreting the past for him.»

14 José F. Montesinos, *op. cit.*, p. 181: «La última novela, o mejor cuento largo de Valera, *Morsamor* (1899), es un libro de extraordinaria contextura. Su composición se extiende a través de varios años. En julio de 1896 iban escritos siete capítulos; luego otros quehaceres se fueron interponiendo y retardando la labor. Imaginamos las mil penalidades y sinsabores que aún pudieron entorpecer el acabamiento de la novela, lista para salir el 15 de julio de 1899.»

tiples referencias a los esoterismos, orientales o no, que surgen constantemente en la pluma del narrador [15].

Sin aventurarme demasiado en ese terreno, y sólo a los efectos de caracterizar al narrador, reiteraré que éste es persona de vasta cultura, y amigo de utilizarla, en lo cual se parece al autor. Le hemos visto ya consciente de conceptos que tuvieron en Goethe exponente dignísimo y, en general, buen conocedor de la literatura universal. Para completar su perfil espiritual será preciso añadir que no le faltan conocimientos de magia, astrología y alquimia, y que del hermetismo sabe tanto como el Padre Ambrosio, personaje en quien encarna la figura arquetípica del Iniciado. Referencias a Pitágoras y a las ciencias ocultas no podían faltar, y no faltan, acompañadas de datos muy concretos sobre la teosofía y el budismo.

El narrador es, pues, un humanista cuya curiosidad se extiende a todo. Por esa curiosidad y por las zonas a que alcanza ha podido escribir Avalle-Arce que *Morsamor* se caracteriza por «un tupido ambiente de magia, ocultismo y teosofía» [16]. La novela fue escrita en plena época modernista y no pudo sustraerse a las corrientes del tiempo. Su influencia sobre Enrique Larreta, en *La gloria de don Ramiro,* es un hecho generalmente aceptado, como el mismo Avalle-Arce ha señalado [17].

Salta a la vista, desde el principio, que el narrador coincide con el autor en su deseo de entretener al lector, lo que quiere decir que cuenta con él en todo instante. La existencia del lector, su presencia al otro lado de la narración y como destinatario de ella, se advierte en frases como la siguiente, en que el narrador se dirige directamente a él:

> Ya verá el curioso lector, si tiene paciencia para leer sin cansarse esta historia, las causas que me mueven a sacar del olvido a tan insignificante personaje. Son estas causas de dos clases: unas, particularísimas, que se sabrán cuando esta historia termine, y otras, tan generales, que bien pueden declararse desde el principio y que voy a declarar aquí (p. 50).

No cabe duda de que estas palabras, aunque incrustadas en la narración, no forman parte de ella; son, como repetidamente se dice en la última línea citada, una declaración y, más allá, una justificación de la obra. Un poco más adelante *explicará* (y explicar tampoco es función narrativa) cómo en un ser humano insignificante pueden descubrirse «multitud de pensamientos maravillosos y de

---

[15] Reveladores como indica P. Romero Mendoza en *D. Juan Valera,* Madrid, Ediciones Españolas, S. A., 1940, p. 212: «[de] la curiosidad con que nuestro autor se había asomado al mundo maravilloso y enigmático de la teosofía».
[16] Juan Bautista Avalle-Arce, «Introducción», p. 29.
[17] *Ibid.,* p. 31.

soberanas aspiraciones», lo que justifica la elección de un personaje como Fray Miguel, de quien se dice a continuación: «Al empezar este relato y al presentarle yo a mis lectores, no era escritor, ni predicador, ni por nada se distinguía» (p. 51).

Escoger a don Nadie como protagonista no es un capricho, pues aparte de que, mirándolo de cerca, acaso sea posible ver algo de los «pensamientos maravillosos y de las soberanas aspiraciones» que, como se indica, pueden darse en el hombre más insignificante, lo que no ofrece duda es que la novela, el acto mismo de novelar lo que hay en el fondo de esa insignificancia, será un verdadero acto de creación. Novelado, y a medida que la novela adelanta, Fray Miguel va transformándose, hasta convertirse en Morsamor; al narrar su vida —los sueños, que son su vida—, el personaje va siendo animado, creado. Y es el acto de creación, según lo realiza la pluma del narrador, lo que distrae y entretiene al lector, hasta el punto de hacerle aceptar como realidad las aventuras de Morsamor y de interesarle en ellas.

Tanto se interesa que, si no a identificarse con el personaje, por lo menos llega a compenetrarse con él y a entender su estado de ánimo, sin necesidad de que el narrador se lo describa, o a captar el sentido de sus alusiones. Al hablar de la temporalidad observamos que el narrador daba por supuesto que el lector sabía que cierta persona a quien se refería un personaje secundario no podía ser otra que la teósofa Madame Blavatsky, tan célebre en los días en que la novela se escribió: «Ya suponemos... —decía— que habrá adivinado...»; el lector no adivina literalmente, pero relaciona la profecía del ente novelesco con lo que está ocurriendo en el momento finisecular de la lectura. Consciente está el narrador de la compenetración del lector con el personaje cuando, más que mediada la novela, escribe: «Ya conjeturará el lector de la singular historia que vamos escribiendo, el mar de confusiones en que un espíritu tan escéptico y tan crítico como el de Morsamor hubo de engolfarse y hasta de anegarse al ver y al oír tan estupendas cosas» (p. 255). Aunque la historia sea extraña, «singular», se supone que el lector será capaz de navegar por sí mismo en el «mar de confusiones» en que se hunde el personaje. El narrador, al confiar en el lector, parece como si lo ascendiera hasta su propio rango de semi-omnisciencia, aunque aquí ser omnisciente no significa mucho más que saber situarse en el pellejo del personaje y suponer cómo reacciona al escuchar las ideas sobre los grandes iniciados que otro personaje le expone. Sentadas las premisas (ciertas doctrinas que oye Morsamor), el lector puede llegar por sí mismo a las conclusiones, sin necesidad de que el narrador insista.

La omnisciencia de éste queda, por otra parte, limitada a lo que su cerebro puede asimilar de esas doctrinas. Por eso en la narración el esoterismo aparece digerido y reducido a la medida del narrador, que, lejos de ocultar el hecho, lo declara sin escrúpulos: «De las contestaciones que obtuvo [Morsamor] del viejo sabio, hemos podido recoger aquella parte que por ser menos profunda está más a nuestro alcance, y vamos a ver si acertamos a transcribirla clara y fácilmente» (p. 255). De la conversación sobre ocultismo, reencarnación y nirvana, no todo, pues, se dirá, contentándose el narrador con transcribir la parte más asequible y que menores dificultades presenta. Y claro está que acierta, pues de haberse metido en las honduras a que el tema le invitaba, hubiera corrido el riesgo de convertir la novela en un tratado doctrinal y, por consiguiente, de alejar a un lector que, como se sabe, fue atraído para ser entretenido y no para perderse en «filosofías».

Narrador y autor

Comentando cierta afirmación de Valera en *El comendador Mendoza,* al tratar de esta novela, escribió Leopoldo Alas: «No basta decir en una nota que el autor es mero narrador y que no se hace solidario de la moral de su novela, moral que resulta no sólo de los discursos de los personajes, sino del modo de conducir la acción y, sobre todo, de la solución del conflicto imaginado» [18]. Sagaz observación la de *Clarín,* sobre todo si se tiene en cuenta que Valera, al afirmar la independencia del narrador, estaba en el buen camino: independiente es, sin duda, el narrador de *El comendador Mendoza,* como el de *Morsamor;* pero *Clarín* va más allá y observa lo ya olvidado de puro sabido: que la presencia del autor en la novela es una realidad y que, dénsele las vueltas que se quiera, el hecho es que de algún modo esa presencia se hará sentir: sea en forma de lo que Booth llama autor implícito, a que en capítulos anteriores me he referido, o en la calificada por Francisco Ayala de autor ficcionalizado [19].

El humanismo, la cultura, la curiosidad intelectual de Valera están en la novela, a veces un poco forzadas en la figura del narrador, que, según acabamos de ver, no es hombre que guste de meterse en honduras. Y son esas cualidades las que van dibujando detrás del narrador una especie de sombra que a veces le acompaña y a veces se despega de él, que en algún momento parece ajustarse a la figura del que habla y en otros le viene grande. Cuando el narrador se detiene es

[18] Leopoldo Alas, *Solos de 'Clarín',* Madrid, Alianza Editorial, 1971, p. 298.
[19] Francisco Ayala, *Reflexiones sobre la estructura narrativa, ed. cit.,* p. 31: «Pues bien, el escritor que produce una obra poética transfiriendo a ella algo de su individualidad esencial, queda por ese acto desdoblado en dos: un autor que se incluye dentro del marco de su obra [autor ficcionalizado lo llamará en la p. 60] y el hombre contingente que se ha quedado fuera para desintegrarse en el incesante fluir del tiempo.»

posible oír una voz que se le asemeja, pero que acaso no sea la suya. Veamos un ejemplo que me parece interesante:

> Mientras más se piensa en ello, más axioma parece la sentencia de don Hermógenes, declarando que todo es relativo. En el viaje *Desde Toledo a Madrid,* del maestro Tirso de Molina, apenas había caminado legua y media y llegado a las ventas de Olías cuando exclama la melindrosa doña Mayor: *Nunca imaginé que era tan largo el mundo.* En cambio, el egregio poeta Leopardi prorrumpe en amargos lamentos porque el mundo le parece muy chico. Y es lo peor para él, que mientras más mundo se descubre, más el mundo se empequeñece. Leopardi no cabe en el mundo (pp. 276-277).

Aquí asoma, casi involuntariamente, el autor en la narración; esta voz que suena en la pausa narrativa es la de una persona culta y erudita, capaz de citar pronto y bien a sus clásicos: Moratín, Tirso y Leopardi, en siete líneas.

Parece claro el hecho de que en esta novela narrador y autor implícito son entes distintos, aunque también creo que en ella, como en otras muchas, es más fácil establecer teóricamente la diferencia que decidir, en la práctica, a quién corresponde la voz que en cada momento habla. El paso que he citado no ofrece dudas porque ocurre cuando la narración se ha detenido y el narrador calla. Pero hay otros en que quien habla es el narrador, aunque sea para sacar al lector de la narración, como es el que transcribí más arriba, por medio del cual pasamos de Asia a Europa y del siglo XVI al siglo XIX, con las alusiones a Madame Blavatsky y a los periodistas del día. Lo que entonces hace el narrador es permitirse unas libertades con la cronología que le sirven para incluir en la novela noticias del presente en que la novela se escribía.

NARRADOR - HISTORIADOR

Se escribe una historia, pero es obvio que en ningún caso el historiador ha de ser mero recopilador y acumulador de documentos. Llenos están los archivos de papeles que es preferible dejar inéditos para no recargar la narración de cosas inútiles o ya sabidas. Ello se explica bien y se justifica mejor: «De lo que vio y observó [Morsamor] en la China bien pudiéramos poner aquí bastante, ya que en los archivos de Sevilla, privados y públicos, se conservan curiosísimas notas de Morsamor y de Tiburcio. Pero nosotros juzgamos conveniente pasar por alto todo esto» (p. 270). Conveniencia justificada en cuanto sabemos, como a continuación se dice, que esas notas no atañen al argumento y son semejantes a las tomadas por otros viajeros, entre los cuales se cuenta don Sinibaldo de Más, a quien el narrador llama «nuestro antiguo amigo» (y amigo era de don Juan Valera)[20].

Prescindir de éstos y de otros documentos es tanto más sabio cuanto que el narrador, como el historiador, tiene como primer deber escoger lo que sirva a sus fines. Anteriormente ya ha hecho presentes algunas de las acostumbradas dificultades: «Los diversos apuntes manuscritos de los que hemos ido extractando y compaginando esta historia hasta ahora clarísima, presentan aquí contradicciones que conviene resolver y obscuridades que conviene disipar por medio de hipótesis» (p. 268). Declaración doble o triplemente importante, porque, además de referirse a la exigencia de selección, dice con toda claridad que el narrador no pertenece a la familia de los omniscientes, sino a la de los cronistas. Cuanto ha dicho y cuanto diga no son cosas sabidas por ciencia infusa, sino aprendidas en los archivos y aclaradas tras minuciosos cotejos de documentos, que a veces dejarán lagunas imposibles de llenar. En seguida me referiré a las inseguridades que esto producirá en el tejido de la narración misma.

El carácter de narrador-cronista se acredita en muy diversos pasajes; no sería imposible determinar cuáles y cuántos documentos utilizó para escribir sus relatos. Acabo de mencionar notas de Morsamor y Tiburcio; no deja de utilizar otras del Padre Ambrosio, sin cuya aportación difícilmente hubieran podido saberse ciertos episodios de la novela, salvo que se recurriera a la omnisciencia; utiliza también cartas de Teletusa y de donna Olimpia. Y, naturalmente, relaciones directas de los personajes, que sólo pudo conocer gracias a facultades que el cronista corriente no posee: «Piadosamente recogió el Padre Ambrosio y puso por escrito aquellas confidencias que ahora trasladamos aquí» (p. 325). Como antes las notas del protagonista y su diablo familiar.

En toda novela, los problemas del narrador, los problemas que su función plantea, en lo esencial no cambian. El recurso a la omnisciencia es eso, un recurso, un medio de escapar a las limitaciones del conocimiento y aun, en casos como éste, a las de la documentación. Si ésta falta habrá de buscarse solución por otra parte: hipótesis, declaración taxativa de ignorancia, reconocimiento de ciertas inseguridades. En seguida veremos algunos ejemplos, pero por el momento conviene exponer lo que el narrador hace al enfrentarse con datos de interés, que, sin embargo, debe soslayar por las razones que él mismo indica. Se trata de la subhistoria que cuenta donna Olimpia al referir a Morsamor las peripecias que atravesó durante el largo período de tiempo en que estuvieron separados; son tantas, tan va-

[20] Con Caldeira y Sinibaldo de Más fundó Valera la *Revista Peninsular*. Tomo el dato de Carmen Bravo Villasante, *Biografía de Don Juan Valera*, Barcelona, Editorial Aedos, 1959, p. 43.

riadas y tan extraordinarias, que pudieran constituir una novela paralela a la del protagonista y hasta competir con ella. Percatado de esta posibilidad, el narrador escribe:

> ... Si nosotros los poseyésemos [los comentarios de donna Olimpia] o pudiésemos reconstruirlos, compondríamos con ellos una historia no menos extensa que la presente, pero aquí deben entrar como episodio, y el episodio no debe extenderse más que el principal asunto. Para no faltar a esta regla de los preceptistas y cumplir con el *semper ad eventum festina,* nos abstendremos de referir las cosas con la pausa con que las refirió donna Olimpia, y las referiremos tan en resumen que más parezcan el plan o el índice de la historia que la historia misma (p. 299).

No es que se tome libertades con los materiales de que dispone, sino que la sujeción a las reglas, impuesta tanto por la retórica como por el buen sentido, le obliga a condensar, seguro de que la condensación y aun el esquema servirán mejor a sus propósitos; en definitiva, le obligan a mantener a Morsamor como figura central de la crónica, dejando a la hermosa dama en la posición subordinada que estructural y novelescamente le corresponde.

El deber de seleccionar se impone. Sin selección no hay novela, ni obra de arte. La aptitud para distinguir entre lo significativo y lo fútil; para valorar y graduar la relativa importancia de los ingredientes que componen la novela es valiosísima. No todo puede ser dicho, y sólo una parte de lo que se sabe merece la pena de ser recordado: «No importa a nuestra historia, ni sabríamos declarar aquí, aunque importase, cuál había sido el objeto de la misión del Padre Ambrosio. Baste saber que...» (p. 59). Y páginas después: «Sencillo y mero narrador de esta historia, no afirmaré ni negaré yo que hubiese o no hubiese error en el pensamiento del Padre Ambrosio. Sólo diré lo que...» (p. 63). Son frases de construcción apropiada para sugerir un parentesco. En el primer inciso se configura al narrador como tal, dependiente de una historia que no conoce: *a)* en todos sus detalles, *b)* en todas sus implicaciones. «No importa..., ni sabríamos» se corresponde con «no afirmaré ni negaré yo»; en los dos casos se alude a una cierta inhibición, a un propósito de no aventurarse más allá de donde el más cauto puede llegar. Esto lo confirma el comienzo de la segunda frase: «Baste saber...». «Sólo diré...» que tajantemente anuncian la limitación. Limitación voluntaria que suele emplearse como recurso narrativo para realzar la ilusión de veracidad.

El deber de selección alcanza en primer término a lo trivial. A este narrador no le parece lícito escudriñar con lupa la vida de sus personajes y menos detenerse en sucesos minúsculos e intrascendentes. Ya mediada la novela le oímos decir:

> No hemos de seguir nosotros punto por punto a los viajeros. Pasaremos de largo cuando nada les ocurra de singular y memorable. Si ahora nos detenemos aquí es por considerar que durante aquel desayuno todos estuvieron expansivos y casi elocuentes y dijeron cosas muy importantes a la narración que vamos haciendo (p. 157).

Así, cuando la conversación sea pertinente, la recogerá con detalle; pero, en cambio, pasará por alto hechos y ocurrencias que no crea memorables. Con esto se apunta un interés en que muy probablemente concurren narrador y autor: un diálogo puede ser más interesante para ellos, y para el lector «amigo» con quien se cuenta, que el episodio más comúnmente considerado novelesco.

Otra regla importante queda fijada en la última de las líneas citadas: lo que se cuenta ha de tener sentido en relación con el cuento mismo; si lo que se dice hace adelantar la narración o ilumina algún aspecto de ella, bien dicho está. El criterio es válido y no siempre tan observado como debiera. Sucede que a veces el narrador, de puro atento y cuidadoso, no se decide a incluir en la novela elementos de cuya autenticidad no se atreve a responder. Siguiendo procedimientos que Cervantes y Galdós utilizaron con frecuencia, el narrador de Valera no vacila en presentarse inseguro y consciente de su inseguridad:

> Era esta carta —dice de la de despedida de donna Olimpia— tan elocuente y tan sentida que no me atrevo a recomponerla aquí, pues no teniéndola a mano tal como se escribió la falsearía yo y la echaría a perder, recomponiéndola y ofreciéndola a mis lectores. Baste, pues, que sepa... (p. 186).

El giro de la frase es semejante al de los comentados hace un instante; la razón expuesta para no incluir la carta es tanto más convincente cuanto que antes ha transcrito íntegra la de Teletusa a Tiburcio de Simahonda.

El interés de lo contado y no su utilidad o su autenticidad puede influir de manera notable en el proceso selectivo. Por lo menos en una ocasión el narrador decide incluir en el relato elementos que no contribuyen a adelantarlo, ni sirven para delinear mejor las figuras ficticias y ni siquiera le parecen verdaderos. ¿Por qué entonces utilizarlos? La respuesta es muy clara: son interesantes. La trivialidad los condenaría a eliminación; el interés los salva, y creo que el criterio seguido es el que habría de operar, dado que, según sabemos, la novela aspira ante todo a entretener. El narrador se ha de convertir necesariamente en crítico de los materiales que utiliza; en este caso, de sus propias criaturas, que, como entes autónomos que son, piensan y hablan por su cuenta:

> Sankaracharia explicaba de modo harto singular el origen de aquella República. Lo que él contaba dista mucho de parecernos verdadero; antes bien, lo consideramos como fábula impía y absurda, pero nos parece tan curiosa que no podemos resistir a la tentación de ponerla aquí en breves palabras, remitiendo a los lectores que quieran saber más sobre ello a mi libro escrito no hace mucho tiempo y cuyo título es *Dios y su tocayo* (p. 261).

Fábula, pues, pero curiosa, digna de que el lector la conozca.

En estas líneas, el narrador incurre una vez más en el fenómeno, de neta estirpe cervantina, que observamos al estudiar la temporalidad: relacionar lo novelesco con lo que está fuera de la novela; sacar al lector del mundo ficticio e impulsarlo, por un momento, a mirar alrededor, buscando en *su* realidad, y no en la de la novela, un libro al que Valera da un título humorístico, que por su estilo anticipa a los que luego pondría a los suyos el machadiano Juan de Mairena. Sobre la finalidad perseguida con este tipo de recursos no me es necesario insistir aquí, remitiéndome a lo ya dicho respecto al distanciamiento.

En algún pasaje, las dificultades del narrador van asociadas a las del personaje. Tal asociación sirve para realzar el *status* de éste, pues, por paradójico que parezca, el no entender o entender mal le humaniza, haciéndole partícipe de las flaquezas intelectuales del narrador, que, aun si lo supiera todo, no sería capaz de expresarlo en forma que manifestara la complejidad y sutileza de ciertas ideas. Así se deduce de líneas como éstas: «Pondremos aquí, en resumen, el resultado de sus investigaciones, o dígase lo que él [Morsamor] acertó a comprender y lo que nosotros podemos expresar sin trabucarlo ni alterarlo» (p. 260). No es sólo una negación de la omnisciencia, sino una confesión de problemas expresivos, que aún declara con más detalle en otros lugares.

Como en Galdós o en Cervantes, las vacilaciones del narrador pueden verse como una negación o un ataque a la omnisciencia, y sirven para afirmar la ilusión de que la novela constituye una realidad propia. Si Cide Hamete no estaba seguro del segundo apellido de Alonso Quijano, no sorprenderá que el narrador valeresco vacile en cuanto a la nacionalidad de un personaje:

> El tal administrador, holandés o flamenco, que en esto no están de acuerdo los autores, se llamaba Gastón Vandepeereboom, nombre y apellidos en total desacuerdo con sus prendas personales, como si por antífrasis los llevara. En lugar de ser Gastón tenía fama de roñoso (p. 74).

Como para compensar la incertidumbre, el narrador concluye con un chiste, y, además, malo.

Sobre inseguro, resulta limitado, sabedor de lo que puede hacer y de lo que no puede hacer: «Punto menos que imposible es reproducir aquí lo que Fray Miguel pensó y se dijo.» (Quizá la utilización de las técnicas del monólogo interior le hubiera ayudado, pero de ellas no encontramos rastro en esta novela.) A vuelta de página remacha el clavo:

> Arduo sería penetrar en el espíritu de Fray Miguel [...]; pero aún es más arduo el empeño de distinguir lo que bullía en aquel caos y darlo a conocer por medio de la palabra escrita. Haré, no obstante, un esfuerzo, a fin de que se sepa algo de lo que entonces Fray Miguel sentía y pensaba (p. 85).

Dificultades reconocidas, conciencia de que ciertos fenómenos espirituales son tan complejos que carece de los medios apropiados para describirlos. Y, aun así, decisión de intentar lo que está en su mano, hacer por dar una idea de lo que acontece en el interior de un personaje cerrado, enigmático.

Las complejidades de la expresión y la necesidad de recurrir a modos y formas estilísticas que a sus propios ojos resultan inapropiadas, sirven para presentarnos un narrador preocupado por los problemas de estilo. Y a la vez piensa si lo que ha de decir no afectará al buen concepto que del personaje debe formar el lector:

> Algo me incumbe decir aquí de que me pesa por dos razones. Es la primera que lo que yo digo como historiador verídico redunde quizá en menoscabo, aunque ligero, de la alta opinión que de doña Sol debe tenerse. Y es la segunda, que no acierto a decirlo, sin grandes rodeos o perífrasis, a no valerme de términos o vocablos disonantes por su anacronismo (p. 135).

Ambas razones tienen en cuenta al lector, están determinadas por el temor de que éste pueda reaccionar negativametne como consecuencia de un desliz en la presentación o en la descripción de los hechos.

Este mismo temor le hará vigilar con cuidado la distribución de lo narrado para que sucesos importantes no vayan a pasar desapercibidos por su defectuosa colocación. Sabiendo que el lector puede llegar fatigado al final de un capítulo, y para llamarle la atención sobre lo que va a seguir, no sólo situará en lugar más destacado algo que le interesa, sino que lo advertirá expresamente: «Lo que dijo Narada a Morsamor merece capítulo aparte» (p. 204). «El diálogo que hubo entre ambos y que Fray Miguel comenzó requiere capítulo aparte» (p. 319). La fórmula no varía, porque la razón de la advertencia es la misma.

Al llegar aquí, y antes de terminar, es conveniente observar que las similitudes entre la técnica narrativa de Valera y la de Cervantes son tan claras que hacen pensar que el autor de *Morsamor* tenía presente a Cide Hamete mientras escribía su novela. El narrador, inseguro y consciente de su inseguridad, a que más arriba me referí, es pariente cercano del que cuenta las hazañas de Alonso Quijano; parentesco corroborado por su actitud crítica respecto a los materiales que utiliza. La diferencia entre ellos, como me ha hecho observar el profesor A. A. Parker, sería que el narrador del Quijote utiliza su inseguridad como un mero recurso humorístico encaminado a indicar que está escribiendo una historia verdadera y no inventada, mientras el «cronista» de Valera parece estar preocupado en serio por los problemas del historiador. Y digo «parece» porque hay en *Morsamor* un fondo de ironía, no muy desemejante del perceptible en el *Quijote*. En ambas novelas el narrador cuenta con que el lector sabrá ir más allá de la superficie y entender lo que se trasluce bajo las perplejidades y contradicciones del texto.

El narrador a lo Cide Hamete, prudente y consciente, era, sin duda, el más apropiado para transmitirnos la compleja historia de Morsamor, una historia que, pese a la advertencia inicial, va mucho más allá del mero entretenimiento, alcanzando a transmitir con la experiencia del desengaño una inevitable lección moral. Don Juan Valera oponía entretenimiento a didactismo; tenía buenas razones para hacerlo, pero a veces el entretenimiento adquiría unas dimensiones, sobre todo en profundidad, que le añadían interés, sin quitarle amenidad. Así creo que ocurrió en esta gran novela, imaginada y escrita por don Juan Valera con gusto y brío juveniles entre las sombras de la ceguera, en su gloriosa ancianidad.

[illegible] Menéndez [illegible] [illegible] [illegible] [illegible]

BIBLIOGRAFIA

I. SIGLO XIX

ARANGUREN, José Luis, *Moral y sociedad: La moral social española en el siglo XIX,* Madrid, Edicusa, 1965.
AYALA, Francisco, «Sobre el realismo en literatura con referencia a Galdós», en *La Torre,* 26 (1959), 91-121.
BAQUERO GOYANES, Mariano, *El cuento español en el siglo XIX,* Madrid, Consejo Superior de Investigaciones Científicas, 1949.
BARJA, César, *Libros y autores modernos,* Los Angeles, Campbell's Book Store, 1933.
BLANCO GARCÍA, Francisco, *Literatura española en el siglo XIX,* 3 vols., Madrid, Sáenz de Jubera, 1891-94.
BROWN, Reginald F., *La novela española: 1700-1850,* Madrid, Servicio de Publicaciones del Ministerio de Educación Nacional, 1953.
— «The Romantic Novel in Catalonia», en *Hispanic Review,* XIII (1945), 294-323.
CARR, Raymond, *España 1808-1939,* Barcelona, Ariel, 1969.
CLAVERÍA, Carlos, *Cinco estudios de literatura española moderna,* Salamanca, Universidad de Salamanca, 1945.
CORREA CALDERÓN, Evaristo, *Costumbristas españoles,* Madrid, Aguilar, 1948.
DENDLE, Brian J., *The Spanish Novel of Religious Thesis, 1876-1936,* Madrid, Castalia, 1968.
EOFF, Sherman H., *The Modern Spanish Novel,* New York, New York University Press, 1961.
FERNÁNDEZ ALMAGRO, Melchor, *Historia de la España contemporánea,* 3 vols., Madrid, Alianza Editorial, 1968.
FERRERAS, Juan Ignacio, *Introducción a una sociología de la novela española del siglo XIX,* Madrid, Edicusa, 1973.
— *La novela por entregas: 1840-1900,* Madrid, Taurus, 1972.
— *Los orígenes de la novela decimonónica: 1800-1830,* Madrid, Taurus, 1973.
GAOS, Vicente, *Claves de literatura española,* 2 vols., Madrid, Ediciones Guadarrama, 1971.
GARCÍA, Salvador, *Las ideas literarias en España entre 1840 y 1850,* Berkeley, University of California Press, 1971.
GOLDMAN, Peter B., «Toward a Sociology of the Modern Spanish Novel: The Early Years», en *Modern Language Notes,* 89 (1974), 173-190, y 90 (1975), 183-211.

Gómez Baquero, Eduardo, *El renacimiento de la novela española en el siglo XIX*, Madrid, Mundo Latino, 1924.
González-Blanco, Andrés, *Historia de la novela en España desde el Romanticismo a nuestros días*, Madrid, Sáenz de Jubera, 1909.
Herrero, Javier, *Los orígenes del pensamiento reaccionario español*, Madrid, Edicusa, 1970.
Hurtado, J., y González Palencia, A., *Historia de la literatura española*, Madrid, Imp. Nuevas Gráficas, 1943.
La Rosa, Tristán, *España contemporánea. Siglo XIX*, Barcelona, Destino, 1972.
Le Gentil, Georges, *Les revues littéraires de l'Espagne pendant la première moitié du XIXe siècle. Aperçu Bibliographique*, París, Hachette, 1909.
Lloréns Castillo, Vicente, *Liberales y románticos. Una emigración española en Inglaterra, 1823-1834*, Madrid, Castalia, 2.ª ed., 1968.
Montesinos, José F., *Costumbrismo y novela: Ensayo sobre el redescubrimiento de la realidad española*, Madrid, Castalia, 1969.
— *Introducción a una historia de la novela en España en el siglo XIX*, Madrid, Castalia, 1955.
Pattison, Walter T., *El naturalismo español*, Madrid, Gredos, 1965.
Peers, E. Allison, *Historia del movimiento romántico español*, 2 vols., Madrid, Gredos, 1954.
Pérez Gutiérrez, Francisco, *El problema religioso en la generación de 1868 (Valera, Alarcón, Pereda, Pérez Galdós, «Clarín», Pardo Bazán)*, Madrid, Taurus, 1975.
Pérez Minik, Domingo, *Novelistas españoles de los siglos XIX y XX*, Madrid, Ediciones Guadarrama, 1957.
Pizer, Donald, *Realism and Naturalism in 19th Century American Literature*, Carbondale, Southern Illinois University Press, 1965.
Shaw, D. L., *El siglo XIX*, Barcelona, Ariel, 1973.
Stromberg, Roland N., *Realism, Naturalism and Symbolism: Modes of Thought and Expression in Europe, 1848-1914*, New York, Harper and Row, 1968.
Terrón, Eloy, *Sociedad e ideología en los orígenes de la España contemporánea*, Barcelona, Península, 1969.
Ucelay de DaCal, Margarita, *Los españoles pintados por sí mismos*, México, El Colegio de México, 1951.
Varela Jácome, Benito, *Estructuras novelísticas del siglo XIX*, Barcelona, Aubí, 1974.
Zavala, Iris M., *Ideología y política en la novela española del siglo XIX*; Salamanca, Anaya, 1971.
Zellers, Guillermo, *La novela histórica en España: 1828-1850*, New York, Instituto Hispánico, 1938.

II. SOBRE AUTORES Y NOVELAS

A. Fernán Caballero

Brancaforte, Benito, «Benedetto Croce and the Theory of Popularism in Spanish Literature», en *Hispanic Review*, XXXVIII (1970), 69-79.
Coloma, Luis, *Recuerdos de Fernán Caballero*, Madrid, Razón y Fe, 1949.
Heinermann, Theodor, *Cecilia Böhl de Faber (Fernán Caballero) y Juan Eugenio Hartzenbusch*, Madrid, Espasa-Calpe, 1944.
Herrero, Javier, *Fernán Caballero: Un nuevo planteamiento*, Madrid, Editorial Gredos, 1963.

HESPELT, E. Herman, «A Second Pseudonym of Cecilia Böhl de Arrom», en *Modern Language Notes,* XLI (1926), 123-25.
— «The Portorican Episode in the Life of Fernán Caballero», en *Revista de Estudios Hispánicos,* I (1928), 162-67.
— «The Genesis of *La Familia de Alvareda*», en *Hispanic Review,* III (1934), 179-201.
— y WILLIAMS, Stanley T., «Two Unpublished Anecdotes by Fernán Caballero Preserved by Washington Irving», en *Modern Language Notes,* XLIX (1934), 25-31.
HORRENT, J., «Sur *La Gaviota* de Fernán Caballero», en *Revue des Langues Vivantes,* XXXII (1966), 227-37.
KLIBBE, Lawrence H., *Fernán Caballero,* New York, Twayne, 1973.
LÓPEZ ARGÜELLO, Alberto, *Epistolario de Fernán Caballero. Una colección de cartas inéditas de la novelista,* Barcelona, Sucesores de Juan Gil, 1922.
MONTESINOS, José F., *Fernán Caballero: Ensayo de justificación,* México, El Colegio de México, 1961.
MONTOTO, Santiago, *Cartas inéditas de Fernán Caballero,* Madrid, Imp. de S. Aguirre Torre, 1961.
MOREL-FATIO, Alfred, «Fernán Caballero d'après sa correspondence avec Antoine de Latour», en *Bulletin Hispanique,* III (1901), 152-294.
PALMA, Angélica, *Fernán Caballero: La novelista novelable,* Madrid, Espasa-Calpe, 1931.
PITOLLET, Camille, «A propos de Fernán Caballero et de M. Montesinos», en *Bulletin Hispanique,* XXXIII (1931), 335-40.
— «Deux mots encore sur Fernán Caballero», en *Bulletin Hispanique,* XXXIV (1932), 153-60.
— «Les premiers essais littéraires de Fernán Caballero», en *Bulletin Hispanique,* IX (1907), 67-86, 286-302; X (1908), 296-305, 378-96.
ROMANO, Julio, *Fernán Caballero: La alondra y la tormenta,* Madrid, Editora Nacional, 1949.
VALENCIANA, Diego de, *Cartas de Fernán Caballero,* Madrid, Hernando, 1919.
WILLIAMS, Stanley T., «Washington Irving and Fernán Caballero», en *Journal of English and Germanic Philology,* XXIX (1930), 352-66.
WOLF, Ferdinand, «Über den realistischen Roman Spaniens», en *Jahrbuch für romanische und englische Literatur,* I (1859), 247-97.

B. EMILIA PARDO BAZÁN

BAQUERO GOYANES, Mariano, *La novela naturalista española: Emilia Pardo Bazán,* Murcia, Universidad de Murcia, 1955.
BRAVO VILLASANTE, Carmen, *Vida y obra de Emilia Pardo Bazán,* Madrid, Revista de Occidente, 1962.
BROWN, Donald F., *The Catholic Naturalism of Pardo Bazán,* Chapel Hill, University of North Carolina, 1957.
CASTRO, Carmen, *Emilia Pardo Bazán,* Madrid, Ediciones Fe, 1945.
CORREA CALDERÓN, E., y SÁNCHEZ CANTÓN, F. J., *El centenario de doña Emilia Pardo Bazán,* Madrid, Universidad de Madrid, 1952.
DAVIS, Gifford, «The Critical Reception of Naturalism in Spain Before, *La cuestión palpitante*», en *Hispanic Review,* XXII (1954), 97-108.
— «The 'Coletilla' to Pardo Bazán's *Cuestión palpitante*», en *Hispanic Review,* XXIV (1956), 50-63.
GILES, Mary E., «Impressionist Techniques in Descriptions by Emilia Pardo Bazán», en *Hispanic Review,* XXX (1962), 304-16.
GLASCOCK, C. C., «*La quimera*», en *Hispania,* IX (1926), 86-94.

González López, Emilio, *Emilia Pardo Bazán, novelista de Galicia,* New York, Hispanic Institute, 1944.
Hilton, Ronald, «Emilia Pardo Bazán and the Americas», en *The Americas,* IX (1953), 135-48.
— «Emilia Pardo Bazán's Concept of Spain», en *Hispania,* XXXIV (1951), 327-42.
— «Doña Emilia Pardo Bazán and the Europeanization of Spain», en *Symposium,* VI (1952), 298-307.
— «Pardo Bazán and the Literary Polemic about Feminism», en *Romanic Review,* XLIV (1953), 40-46.
— «Doña Emilia Pardo Bazán, Neo-Catholicism and Christian Socialism», en *The Americas,* XI (1954), 3-18.
— «A Spanish Francophile: Emilia Pardo Bazán», en *Revue de Littérature Comparée,* XXVI (1952), 241-49.
— «Pardo Bazán and the Spanish Problem», en *Modern Language Quarterly,* XIII (1952), 222-28.
Kronik, John W., «Emilia Pardo Bazán and the Phenomenon of French Decadentism», en *PMLA,* LXXXI (1966), 418-27.
Lott, Robert E., «Observations on the Narrative Method, the Psychology, and the Style of *Los pazos de Ulloa*», en *Hispania,* LII (1969), 3-12.
Osborne, Robert E., *Emilia Pardo Bazán: su vida y sus obras,* México, Ediciones De Andrea, 1964.
Pattison, Walter T., *Emilia Pardo Bazán,* New York, Twayne Publishers, 1971.
Torre, Guillermo de, «Emilia Pardo Bazán y las cuestiones del naturalismo», en *Cuadernos Americanos,* 2 (1960), 238-260.
Varela Jácome, Benito, *Estructuras novelísticas de Emilia Pardo Bazán,* Madrid, C. S. I. C., 1973.
— «Pardo Bazán y su *Nuevo Teatro Crítico*», en *Cuadernos de Estudios Gallegos,* VII (1952), 159-64.

C. José María de Pereda

Camp, Jean, *José María de Pereda. Sa vie, son oeuvre et son temps. 1833-1906,* París, Fernand Sortot, 1937.
Clarke, Anthony H., *Pereda, paisajista: El sentimiento de la naturaleza en la novela española del siglo XIX,* Santander, Institución Cultural de Cantabria, 1969.
Cossío, José María de, *La obra literaria de Pereda: Su historia y su crítica,* Santander, Imp. J. Martínez, 1934.
Eoff, Sherman H., «Pereda's Conception of Realism as Related to His Epoch», en *Hispanic Review,* XIX (1946), 281-303.
Eoff, Sherman H., «Pereda's Realism: His Style: His Style», en *Washington University Studies - New Series Language and Literature,* XIV (1942), 131-57.
Fernández-Cordero y Azorín, Concepción, *La sociedad española del siglo XIX en la obra literaria de D. José María de Pereda,* Santander, Institución Cultural de Cantabria, 1970.
Glascock, Clyde, «Modern Spanish Novelists. José María de Pereda», en *Southwest Review,* VIII (1923), 329-53.
Gullón, Ricardo, *Vida de Pereda,* Madrid, Editora Nacional, 1944.
Klibbe, Lawrence H., *José María de Pereda,* Boston, Twayne Publishers, 1975.
Montero, José, *Pereda: Glosas y comentarios de la vida y de los libros del ingenioso montañés,* Madrid, Imp. del Instituto Nacional de Sordomudos y Ciegos, 1919.

MONTESINOS, José F., *Pereda o la novela idilio,* México, El Colegio de México, 1961.
OUTZEN, Gerda, *El dinamismo en la obra de Pereda,* Santander, Imp. J. Martínez, 1936.
SIEBERT, Kurt, *Die Naturschilderungen in Peredas Romanen,* Hamburg, Hamburger Studien zu Volkstum und Kultur der Romanen, 1932.
TANNENBERG, Boris de, «Ecrivains castillans contemporains: J. M. de Pereda», en *Revue Hispanique,* V (1898), 330-64.
VAN HORNE, John, «The Influence of Conservatism on the Art of Pereda», en *PMLA,* XXXIV (1919), 70-88.

D. BENITO PÉREZ GALDÓS

ALAS, Leopoldo, *Galdós,* Madrid, Renacimiento, 1912.
BELTRÁN DE HEREDIA, Pablo, «España en la muerte de Galdós», en *Anales Galdosianos,* 5 (1970), 89-101.
BERKOWITZ, H. Charles, *Pérez Galdós, Spanish Liberal Crusador,* Madison, University of Wisconsin Press, 1948.
BLANCO AGUINAGA, Carlos, «On 'The Birth of Fortunata'», en *Anales Galdosianos,* III (1968), 13-24.
BRAVO VILLASANTE, Carmen, *Galdós visto por sí mismo,* Madrid, Magisterio Español, 1970.
— *Cartas de Galdós a Emilia Pardo Bazán,* ed. por —, Madrid, Turner, 1975.
CARDONA, Rodolfo, «Introducción» a *La Sombra,* New York, W. W. Norton, 1966, xv-xxxix.
— «Nuevos enfoques críticos con referencia a la obra de Galdós», en *Cuadernos Hispanoamericanos,* 250-252 (1970-1971), 58-72.
CASALDUERO, Joaquín, *Vida y obra de Galdós,* 2.ª ed., Madrid, Gredos, 1961.
CIMORRA, Clemente, *Galdós,* Buenos Aires, Nova, 1947.
CORREA, Gustavo, *El simbolismo religioso en las novelas de Pérez Galdós,* Madrid, Gredos, 1962.
— *Realidad, ficción y símbolo en las novelas de Pérez Galdós,* Bogotá, Publicaciones del Instituto Caro y Cuervo, 1967.
EARLE, Peter G., «Torquemada: hombre-masa», en *Anales Galdosianos,* II (1967), 29-43.
EOFF, Sherman H., *The Novels of Pérez Galdós: The Concept of Life as Dynamic Process,* St. Louis, Washington University Studies, 1954.
GILMAN, Stephen, «The Birth of Fortunata», en *Anales Galdosianos,* I (1966), 71-83.
— «The Consciousness of Fortunata», en *Anales Galdosianos,* V (1970), 55-66.
GULLÓN, Ricardo, *Galdós, novelista moderno,* 2.ª ed., Madrid, Gredos, 1966.
— *Técnicas de Galdós,* Madrid, Taurus, 1970.
HINTERHÄUSER, Hans, *Los 'Episodios Nacionales' de Benito Pérez Galdós,* Madrid, Gredos, 1963.
LIDA, Denah, «De Almudena y su lenguaje», en *Nueva Revista de Filología Hispánica,* XV (1961), 297-308.
LÓPEZ-MORILLAS, Juan, *Hacia el 98: literatura, sociedad, ideología,* Madrid, Ariel, 1972.
MONCY [GULLÓN], Agnes, «Enigmas de Galdós», en *Insula,* 222 (1965), 1.
MONTANER, Carlos Alberto, *Galdós, humorista y otros ensayos,* Madrid, Partenón, 1969.
MONTESINOS, José F., *Galdós,* 3 vols., Madrid, Castalia, 1969.
NIMETZ, Michael, *Humor in Galdós. A Study of the 'Novelas Contemporáneas',* New Haven, Yale University Press, 1968.
NUEZ CABALLERO, Sebastián de la, y SCHRAIBMAN, José, *Cartas del archivo de Galdós,* Madrid, Taurus, 1967.

ORTEGA, Soledad, *Cartas a Galdós,* Madrid, Revista de Occidente, 1965.
PATTISON, Walter T., *Benito Pérez Galdós,* New York, Twayne Publishers, 1975.
— *Benito Pérez Galdós and the Creative Process,* Minneápolis, University of Minnesota Press, 1954.
PÉREZ VIDAL, José, *Galdós, crítico musical,* Madrid, Patronato de la Casa de Colón, 1956.
REGALADO GARCÍA, Antonio, *Benito Pérez Galdós y la novela histórica española: 1868-1912,* Madrid, Insula, 196.
RICARD, Robert, *Aspectos de Galdós,* París, Presses Universitaires de France, 1963.
— *Galdós et ses romans,* París, L'Institut d'Etudes Hispaniques, 1961.
RÍO, Angel del, *Estudios galdosianos,* New York, Las Américas, 1969.
RODRÍGUEZ, Alfred, *Aspectos de la novela de Galdós,* Almería, Estudios Literarios, 1967.
— *An Introduction to the 'Episodios Nacionales' of Galdós,* New York, Las Américas, 1967.
ROGERS, Douglass M., *Benito Pérez Galdós,* Madrid, Taurus, 1973.
— «Lenguaje y personaje en Galdós (un estudio de Torquemada)», en *Cuadernos Hispanoamericanos,* 206 (1967), 243-273.
— «The Descriptive Simile in Galdós and Blasco Ibáñez: A Study in Contrast», en *Hispania,* 53 (1970), 864-869.
RUIZ RAMÓN, Francisco, *Tres personajes galdosianos,* Madrid, Ed. de la Revista de Occidente, 1964.
SACKETT, Theodore A., *Pérez Galdós. An Annotated Bibliography,* Alburquerque, The University of New Mexico Press, 1968.
SCHRAIBMAN, Joseph, *Dreams in the Novels of Galdós,* New York, Hispanic Institute, 1960.
SHOEMAKER, William H., *Estudios sobre Galdós,* Madrid, Castalia, 1970.
— *Los prólogos de Galdós,* México, Ediciones De Andrea, 1967.
SOBEJANO, Gonzalo, «Forma literaria y sensibilidad social de *La incógnita* y *Realidad*», en *Revista Hispánica Moderna,* XXX (1964), 89-107.
— «Razón y suceso de la dramática galdosiana», en *Anales Galdosianos,* V (1970), 39-54.
SOPEÑA IBÁÑEZ, Federico, *Arte y sociedad en Galdós,* Madrid, Gredos, 1970.
TURNER, Harriet S., «Rhetoric in *La Sombra:* The Author and His Story», en *Anales Galdosianos,* 6 (1971), 5-19.
WALTON, L. B., *Pérez Galdós and the Spanish Novel of the Nineteenth Century,* New York, Dutton, 1927.
YNDURÁIN, Francisco, *Galdós, entre la novela y el folletín,* Madrid, Taurus, 1970.
ZAMBRANO, María, *La España de Galdós,* Madrid, Taurus, 1959.

E. LEOPOLDO ALAS

AGUDÍEZ, Juan Ventura, *Inspiración y estética en* La Regenta *de «Clarín»,* Oviedo, Instituto de Estudios Asturianos, 1970.
ALARCOS LLORACH, Emilio, «Notas a *La Regenta*», en *Archivum,* II (1952), 141-160.
ARBOLEYA MARTÍNEZ, Maximiliano, «Alma religiosa de *Clarín:* textos íntimos e inéditos», en *Revista Quincenal,* 61 (1919), 328-49.
AVRETT, Robert, «The Treatment of Satire in the Novels of Leopoldo Alas *(Clarín)*», en *Hispania,* 24 (1941), 223-30.
BANDERA, Cesáreo, «La sombra de Bonifacio Reyes en *Su único hijo*», en *Bulletin of Hispanic Studies,* 47 (1969), 201-25.

BAQUERO GOYANES, Mariano, «Exaltación de lo vital en *La Regenta*», en *Archivum,* II (1952), 187-216.
— *Una novela de «Clarín»:* Su único hijo, Murcia, Publicaciones de la Universidad de Murcia, 1952.
BÉCARUD, Jean, La Regenta *de «Clarín» y la Restauración,* Madrid, Taurus, 1964.
BESER, Sergio, y BONET, Laureano, «Indice de colaboraciones de Leopoldo Alas en la prensa barcelonesa», en *Archivum,* XVI (1966), 157-211.
BESER, Sergio, «Seis cartas de Leopoldo Alas a Narciso Oller», en *Archivum,* XII (1962), 507-22.
— *Leopoldo Alas, crítico literario,* Madrid, Gredos, 1968.
BLANQUAT, Jossette, «La sensibilité religieuse de Clarín. Reflets de Goethe et de Leopardi», en *Revue de Littérature Comparée,* 35 (1961), 177-96.
BONET, Laureano, «*Clarín* ante la crisis del 1898», en *Revista de Occidente,* 25 (1969), 100-119.
BRENT, Albert, *Leopoldo Alas and* La Regenta, Columbia [Missouri], The University of Missouri, 1951.
BULL, William E., *Clarín: An Analytical Study of a Literary Critic,* Madison, University of Wisconsin Press, 1940.
— «*Clarín*» and his Critics», en *Modern Language Forum,* 35 (1950), 103-4.
— «Clarín's Literary Internationalism», en *Hispanic Review,* XVI (1948), 321-34.
— «The Naturalistic Theories of Leopoldo Alas», en *PMLA,* 57 (1942), 536-51.
CABEZAS, Juan Antonio, «*Clarín*», *el provinciano universal,* Madrid, Espasa-Calpe, 1936.
CLAVERÍA, Carlos, «La Teresa de *Clarín*», en *Insula,* 76 (1952), 1.
DURAND, Frank, «Characterization in *La Regenta*», en *Bulletin of Hispanic Studies,* 41 (1964), 86-100.
— «Leopoldo Alas, 'Clarín': Consistency of Outlook as Critic and Novelist», en *Romanic Review,* 56 (1965), 37-49.
— «Structural Unity in Leopoldo Alas' *La Regenta*», en *Hispanic Review,* XXXI (1963), 324-335.
FERNÁNDEZ ALMAGRO, Melchor, «Crítica y sátira en Clarín», en *Archivum,* II (1952), 33-42.
GÓMEZ SANTOS, Marino, *Leopoldo Alas «Clarín»: Ensayo bio-bibliográfico,* Oviedo, Instituto de Estudios Asturianos, 1952.
GONZÁLEZ OLLÉ, Fernando, «Del Naturalismo al Modernismo: Los orígenes del poema en prosa y un desconocido artículo de *Clarín*», en *Revista de Literatura,* 25 (1964), 49-67.
GRAMBERG, Edward J., *Fondo y forma del humorismo de Leopoldo Alas,* Oviedo, Instituto de Estudios Asturianos, 1958.
— «*Su único hijo,* novela incomprendida de Leopoldo Alas», en *Hispania,* 45 (1962), 194-99.
GULLÓN, Ricardo, «Las novelas cortas de *Clarín*», en *Insula,* IV (1952), 3.
— «Aspectos de *Clarín*», en *Archivum,* II (1952), 161-86.
— «Clarín, crítico literario», en *Universidad,* Zaragoza (1949), 389-431.
JACKSON, Robert M., «Cervantism in the Creative Process of Clarín's *La Regenta*», en *Modern Language Notes,* 84 (1969), 208-27.
KRONIK, John W., «Censo de personajes en las novelas de *Clarín*», en *Archivum,* XI (1961), 324-406.
— «La modernidad de Leopoldo Alas», en *Papeles de Son Armadans,* XLI (1966), 121-34.
— «The Function of Names in the Stories of Alas», en *Modern Language Notes,* 80 (1965), 260-65.
KÜPPER, Werner, *Leopoldo Alas, «Clarín», und der französische Naturalismus in Spanien,* Colonia, 1958.

Martínez Cachero, José M., «Introducción» a *Palique,* Barcelona, Labor, 1973, 7-40.
— «Los versos de Leopoldo Alas», en *Archivum,* II (1952), 89-111.
— «Noticia de tres folletos contra 'Clarín'», en *Boletín del Instituto de Estudios Asturianos,* XIII (1959), 225-244.
Núñez de Villavicencio, Laura, *La creatividad en el estilo de Leopoldo Alas, «Clarín»,* Oviedo, Instituto de Estudios Asturianos, 1974.
Posada, Adolfo, *Leopoldo Alas, «Clarín»,* Oviedo, Imprenta La Cruz, 1946.
Reiss, Katherine, «Valoración artística de las narraciones cortas de Leopoldo Alas, 'Clarín', desde los puntos de vista estético, técnico y temático», en *Archivum,* V (1955), 77-126 y 256-303.
Roberts, Gemma, «Notas sobre el realismo psicológico de *La Regenta*», en *Archivum,* XVIII (1968), 189-202.
Sánchez, Roberto, *El teatro en la novela. Galdós y Clarín,* Madrid, Insula, 1974.
Serrano Poncela, Segundo, «Un estudio de *La Regenta*», en *Papeles de Son Armadans,* 44 (1967), 21-50.
Sobejano, Gonzalo, «La inadaptada (Leopoldo Alas: *La Regenta,* capítulo XVI)», en *El comentario de textos,* Madrid, Castalia, 1973, 126-66.
— «Clarín y la crisis de la crítica satírica», en *Revista Hispánica Moderna,* 31 (1966), 399-417.
Thomson, Clifford R., Jr., «Egoism and Alienation in the Works of Leopoldo Alas», en *La Revue d'Esthétique,* 81 (1969), 193-203.
Weber, Frances, «Ideology and Religious Parody in the Novels of Leopoldo Alas», en *Bulletin of Hispanic Studies,* XLIII (1966), 197-208.
— «The Dynamics of Motif in Leopoldo Alas's *La Regenta*», en *Romanic Review,* 57 (1966), 188-199.

F. Juan Valera

Azaña, Manuel, *Ensayos sobre Valera,* Madrid, Alianza Editorial, 1971.
Bermejo Marcos, Manuel, *Don Juan Valera, crítico literario,* Madrid, Gredos, 1968.
Bravo Villasante, Carmen, *Biografía de Don Juan Valera,* Barcelona, Aedos, 1959.
DeCoster, Cyrus C., Edición e introducción a *Artículos de «El Contemporáneo»* de Juan Valera, Madrid, Castalia, 1966.
— *Juan Valera,* New York, Twayne, 1974.
— *Obras desconocidas de Juan Valera,* Madrid, Castalia, 1965.
— «Valera and Andalusia», en *Hispanic Review,* XXIX (1961), 200-16.
— «Valera en Washington», en *Arbor,* XXVII (1954), 215-23.
— «Valera y Portugal», en *Arbor,* XXXIII (1956), 398-410.
Eoff, Sherman H., «Juan Valera's Interest in the Orient», en *Hispanic Review,* VI (1938), 193-205.
Fishtine [Helman], Edith, *Don Juan Valera, the Critic,* Bryn Mawr, George Banta, 1933.
González López, Luis, *Las mujeres de don Juan Valera,* Madrid, Espasa-Calpe, 1934.
Jiménez Fraud, Alberto, *Juan Valera y la generación de 1868,* Madrid, Taurus, 1973.
Krynen, Jean, *L'esthétisme de Juan Valera,* Salamanca, Universidad de Salamanca, 1946.
Lott, Robert E., *Language and Psychology in Pepita Jiménez,* Urbana, University of Illinois Press, 1970.

MAURÍN, Mario, «Valera y la ficción encadenada», en *Mundo Nuevo,* 14 (1967), 35-44.
MONTESINOS, José F., *Valera o la ficción libre,* Madrid, Gredos, 1957.
MUÑOZ ROJAS, J. A., «Notas sobre la Andalucía de Don Juan Valera», en *Papeles de Son Armadans,* III (1956), 9-22.
OLGUÍN, Manuel, «Juan Valera's Theory of Art for Art's Sake», en *Modern Language Forum,* XXXV (1950), 24-34.
REVUELTA Y REVUELTA, Luisa, «Valera, estilista», en *Boletín de la Real Academia de Ciencias, Bellas Letras y Nobles Artes de Córdoba,* 17 (1946), 25-71.
ROMERO MENDOZA, P., *Don Juan Valera,* Madrid, Ediciones Españolas, 1940.
ROMEU, R., «Les divers aspects de l'humour dans le roman espagnol moderne», en *Bulletin Hispanique,* 48 (1946), 97-126.
SÁENZ DE TEJADA, Carlos, *Cartas íntimas de Juan Valera,* edición de —, Madrid, Taurus, 1974.
SMITH, Paul, «Juan Valera and the Illegitimacy Motif», en *Hispania,* LI (1968), 804-11.
ZAMORA ROMERA, Alfonso, *Don Juan Valera (Ensayo biográfico-crítico),* Córdoba, Tip. Artística, 1966.
ZARAGÜETA, Juan, «Don Juan Valera, filósofo», en *Revista de Filosofía,* XV (1956), 489-518.

III. SOBRE EL NARRADOR Y LAS TECNICAS NARRATIVAS EN LA NOVELA

AYALA, Francisco, *Reflexiones sobre la estructura narrativa,* Madrid, Taurus, 1970.
BAQUERO GOYANES, Mariano, *Estructuras de la novela actual,* Barcelona, Planeta, 1970.
— *Perspectivismo y contraste,* Madrid, Gredos, 1963.
BARTHES, Roland, *Ensayos críticos,* Barcelona, Seix-Barral, 1967.
BLOOM, Edward A., *The Order of Fiction,* New York, Odyssey Press, 1964.
BONET, Laureano, *De Galdós a Robbe-Grillet,* Madrid, Taurus, 1972.
BOOTH, Wayne C., *The Rhetoric of Fiction,* Chicago, University of Chicago Press, 1961.
BRACE, Gerald Warner, *The Stuff of Fiction,* New York, W. W. Norton and Co. Inc., 1972.
BUCKLEY, R., *Problemas formales en la novela española contemporánea,* Barcelona, Península, 1968.
CASTELLET, José María, *La hora del lector,* Barcelona, Seix-Barral, 1956.
CIRRE, J. F., «El protagonista múltiple y su papel en la reciente novela española», en *Papeles en Son Armadans,* 98 (1964), 159-170.
DAICHES, David, *The Novel and the Modern World,* Chicago, University of Chicago Press, 1960.
FRIEDMAN, Alan, *The Turn of the Novel,* London, Oxford University Press, 1970.
FORSTER, E. M., *Aspects of the Novel,* New York, Harcourt, Brace & World Inc., 1954.
GOLDKNOPF, David, *The Life of the Novel,* Chicago, The University of Chicago Press, 1972.
GOYTISOLO, Juan, *Problemas de la novela,* Barcelona, Seix-Barral, 1959.
GULLÓN, Agnes y Germán, *Teoría de la novela,* Madrid, Taurus, 1974.

GULLÓN, Ricardo, «La historia como materia novelable», en *Anales Galdosianos,* V (1970), 23-37.
HALEY, George, «The Narrator in Don Quijote: Maese Pedro's Puppet Show», en *Modern Language Notes,* 80 (1965), 145-65.
HAMON, Phillipe, «Qu'est-ce qu'une description?», en *Poétique,* 12 (1972), 465-85.
HUMPHREY, Robert, *Stream of Consciousness in the Modern Novel,* Berkeley, University of California Press, 1959.
JAKOBSON, Roman, *Essais de linguistique générale,* París, Ed. de Minuit, 1963.
JAMES, Henry, *The Art of Fiction,* New York, Charles Scribner's Sons, 1937.
KAYSER, Wolfgang, *Interpretación y análisis de la obra literaria,* Madrid, Gredos, 1961.
KUMAR, Shiu K., y MCKEAN, Keith, *Critical Approaches to Fiction,* New York, McGraw Hill, 1968.
LÁZARO CARRETER, Fernando, «Construcción y sentido del *Lazarillo de Tormes*», en *Abaco,* 1 (1969), 45-134.
LEWIS, C. S., *An Experiment in Criticism,* Cambridge, Cambridge University Press, 1965.
LIDDELL, Robert, *A Treatise on the Novel* y *Some Principles of Fiction,* Chicago, The University of Chicago Press, 1969.
LUBBOCK, Percy, *The Craft of Fiction,* New York, Viking Press, 1957.
LUKÁCS, György, *La teoría de la novela,* en *Obras completas,* Barcelona, Ed. Grijalbo, 1975, tomo 1, pp. 281-420.
MARTÍNEZ BONATI, Félix, *La estructura de la obra literaria,* Barcelona, Seix-Barral, 1972.
MENDILOW, A. A., *Time and the Novel,* London, 1952.
MEYERHOFF, Hans, *Time in Literature,* Berkeley, University of California Press, 1955.
MUIR, Edwin, *The Structure of the Novel,* London, Hogarth Press, 1967.
ORTEGA Y GASSET, José, *La deshumanización del arte,* Madrid, Revista de Occidente, 1960.
PIZARRO, Narciso, *Análisis estructural de la novela,* Madrid, Siglo XXI, 1970.
PRINCE, Gerald, «Introduction à l'étude du narrataire», en *Poétique,* 4 (1973), 178-96.
RICARDOU, Jean, *Problèmes du nouveau roman,* París, Ed. du Seuil, 1967.
RICO, Francisco, *La novela picaresca y el punto de vista,* Barcelona, Seix-Barral, 1969.
ROMBERG, Bertil, *Studies in the Narrative Technique of the First-Person Novel,* Stockholm, Almqvist & Wiksell, 1962.
ROPARS-WUILLEUMIER, Marie Claude, «Narration et signification: un exemple filmique», en *Poétique,* 12 (1972), 518-30.
SCHOLES, Robert, y KELLOG, Robert, *The Nature of Narrative,* New York, Oxford, 1966.
STANZEL, F. K., *Typische Formen des Romans,* Göttingen, Vandenhoeck & Ruprecht, 1964.
SURMELIAN, Leon, *Techniques of Fiction Writing,* New York, Doubleday, 1968.
VAN ROSSUM-GUYON, Françoise, «Point de vue ou perspective narrative», en *Poétique,* 1 (1970), 476-97.
VARGAS LLOSA, Mario, «Carta de batalla por *Tirant lo Blanc*», Prólogo a la novela, Madrid, Alianza Editorial, 1964.
WATT, Ian, *The Rise of the Novel,* Berkeley y Los Angeles, University of California Press, 1967.
YNDURÁIN, Francisco, *De lector a lector,* Madrid, Escelicer, 1973.

ESTE LIBRO SE TERMINÓ DE IMPRIMIR,
SOBRE PAPEL DE TORRAS HOSTENCH, S. A.,
DE BARCELONA, EL DÍA 15 DE
JULIO DE 1976, EN LOS
TALLERES DE RAMOS, AR-
TES GRÁFICAS, MARÍA
ISABEL, NÚM. 12
MADRID-11

ESTE LIBRO SE TERMINÓ DE IMPRIMIR
SOBRE PAPEL DE TORRAS HOSTENCH, S. A.,
DE BARCELONA, EL DÍA 15 DE
JUNIO DE 1976, EN LOS
[illegible]
[illegible]
[illegible]
[illegible]

OTROS TITULOS
DE LA
COLECCION PERSILES

18. Américo Castro: **De la Edad Conflictiva.** (4.ª edición.)
21. Juan Luis Alborg: **Hora actual de la novela española, II.**
27. Rafael Ferreres: **Los límites del modernismo.**
31. Edward C. Riley: **Teoría de la novela en Cervantes.**
33. Alonso Zamora Vicente: **Lengua, Literatura, Intimidad.**
35. Azorín: **Crítica de años cercanos.**
36. Charles V. Aubrun: **La comedia española (1600-1680)**
38. José Corrales Egea: **Baroja y Francia.**
39. Edith Helman: **Jovellanos y Goya.**
40. Georges Demerson: **Don Juan Meléndez Valdés y su tiempo.**
41. José María Castellet: **Iniciación a la poesía de Salvador Espríu.**
42. Georges Bataille: **La literatura y el mal.**
43. Domingo Ynduráin: **Análisis formal de la poesía de Espronceda.**
44. R. M. Albérès: **Metamorfosis de la novela.**
45. Fernando Morán: **Novela y semidesarrollo.**
46. Gabriel Celaya: **Inquisición de la poesía.**
47. Walter Benjamin: **Iluminaciones, I.**
48. Julien Green: **Suite inglesa.**
49. Oscar Wilde: **Intenciones.**
50. Julio Caro Baroja: **Los Baroja.**
51. Walter Benjamin: **Iluminaciones, II.**
52. C. M. Bowra: **La imaginación romántica.**
53. Luis Felipe Vivanco: **Moratín y la ilustración mágica.**
54. Paul Ilie: **Los surrealistas españoles.**
55. Julio Caro Baroja: **Semblanzas ideales.**
56. Juan Ignacio Ferreras: **La novela por entregas.**
57. J. Benet, C. Castilla del Pino, S. Clotas, J. M. Palacio, F. Pérez y M. Vázquez Montalbán: **Barojiana.**

58. E. López Campillo: **La «Revista de Occidente» y la formación de minorías.**
59. J. M.ª Aguirre: **Antonio Machado, poeta simbolista.**
60. Northrop Frye: **La estructura inflexible de la obra literaria.**
61. Alberto Jiménez Fraud: **Juan Valera y la generación de 1868.**
62. Serie «El escritor y la crítica»: **Benito Pérez Galdós.** Edición de Douglass M. Rogers.
63. Serie «El escritor y la crítica»: **Antonio Machado.** Edición de Ricardo Gullón y Allen W. Phillips.
64. Serie «El escritor y la crítica». **Federico García Lorca.** Edición de Ildefonso-Manuel Gil.
65. Juan Ignacio Ferreras: **Los orígenes de la novela decimonónica en España (1800-1830).**
66. Jesús Castañón: **La crítica literaria en la prensa española del siglo XVIII (1700-1750).**
67. María Cruz García de Enterría: **Sociedad y poesía de cordel en el Barroco.**
68. Marthe Robert: **Novela de los orígenes y orígenes de la novela.**
69. Juan Valera: **Cartas íntimas (1853-1879).**
70. Richard Burgin: **Conversaciones con Jorge Luis Borges.**
71. Stephen Gilman: **«La Celestina»: arte y estructura.**
72. Lionel Trilling: **El Yo antagónico.**
73. Serie «El escritor y la crítica»: **Miguel de Unamuno.** Edición de A. Sánchez Barbudo.
74. Serie «El escritor y la crítica»: **Pío Baroja.** Edición de Javier Martínez Palacio.
75. Agnes y Germán Gullón: **Teoría de la novela.**
76. Serie «El escritor y la crítica»: **César Vallejo.** Edición de Julio Ortega.
77. Serie «El escritor y la crítica»: **Vicente Huidobro.** Edición de René de Costa.
78. Serie «El escritor y la crítica»: **Jorge Guillén.** Edición de Biruté Ciplijauskaité.
79. Henry James: **El futuro de la novela.**
80. F. Márquez Villanueva: **Personajes y temas del Quijote.**
81. Serie «El escritor y la crítica»: **El Modernismo** (Ed. de Lily Litvak.)
82. Aurelio G. Cantalapiedra: **Tiempo y vida de José Luis Hidalgo.**
83. Walter Benjamín: **Tentativas sobre Brecht.** (Iluminaciones III.)

84. Mario Vargas Llosa: **La orgía perpetua.** (Flaubert y Mme. Bovary.)
85. Serie «El escritor y la crítica»: **Rafael Alberti.** Ed. de Manuel Durán.)
86. Serie «El escritor y la crítica»: **Miguel Hernández.** (Ed. de María Gracia de Ifach.)
87. Francisco Pérez: **El problema religioso en la generación de 1868.**
88. Serie «El escritor y la crítica»: **Jorge Luis Borges** *. (Ed. de Jaime Alazraki.)
89. Juan Benet: **En Ciernes.**
90. Serie «El escritor y la crítica»: **Novelistas hispanoamericanos de hoy.** (Edición de Juan Loveluck.)